PALÄO-]

Paläo-diät Und Ketogene Ernährung - Ketogene Diät-vorteile

(Paleo Kochbuch Paleo Diät Rezepte Und Die Paleo
Ernährung Für Einsteiger)

Heike Schmitt

Herausgegeben von Alex Howard

Paläo-diät: Paläo-diät Und Ketogene Ernährung - Ketogene Diät-vorteile (Paleo Kochbuch Paleo Diät Rezepte Und Die Paleo Ernährung Für Einsteiger)

ISBN 978-1-77485-031-2

INHALTSVERZEICHNIS

KAPITEL 1:WAS IST DIE PALEO ERNÄHRUNG?.......................... 1

WARUM SOLLTE MAN SEINE ALTE ERNÄHRUNGSWEISE AUFGEBEN?.......... 5

KAPITEL 2: WAS VERSTEHT MAN UNTER KOHLENHYDRATE?...................... 6

WIE WIRKEN SICH KOHLENHYDRATE AUF DEN INSULINSPIEGEL AUS? 7
WAS VERSTEHT MAN UNTER DEM BEGRIFF „KETOSE"? 7
WIE VERTRÄGT SICH DIE PALEO-DIÄT MIT ERNÄHRUNG UND SPORT? 9

KAPITEL 3: TIPPS BEIM EINKAUFEN 10

KAPITEL 4: WAS IST DIE PALÄO-DIÄT ? 12

KAPITEL 5: INTERMITTIERENDES FASTEN & PALÄO.................................... 15

- WARUM INTERMITTIERENDES FASTEN FUNKTIONIERT 20
- VORTEILE UND NEBENWIRKUNGEN DES INTERMITTIERENDEN FASTENS 22
- PILZ-OMELETTE MIT CASHEW-NÜSSEN 27
- BEEREN IN LILA INFUSIONSWASSER 29
- PALEO SICHERE CEVICHE 31
SALZ & PFEFFER NACH GESCHMACK 32
- ERDBEERE EISTEE... 34
- PFANNE GEGRILLTES LACHSFILET MIT ROHER MANGOSALSA 36
WURST UND PFEFFER FRÜHSTÜCKSKASSEROLLE 38
EIWEIß VEGGIE MUFFINS 39
SUNNY GURKENSALAT 40
MINI STEAK BITES 41
LECKERER PALEO FLADEN 42
GRÜNES FRÜHSTÜCKSOMELETTE 43
MAROKKANISCHE EIER MIT SPINAT 45
HERZHAFTES FRÜHSTÜCKSGRÖSTL 47
SPINAT-TOMATEN-FRITTATA MIT EIERN 49
WASCHBRETTBAUCH-STEAK... 51
PUTENBRUST AUF RATATOUILLE 54
PEPERONATA-TARTE 56
KÜRBIS-TORTILLA 59

Zucchini-Avocado-Pasta 61

Griechische Gemüsefrittata 63

Taboulé mit frischen Sprossen 64

Kartoffelplätzchen mit Petersilie 66

Schoko Zucchini Pfeilwurz Muffin 67

Mandel Kuchen 68

Bananenkuchen 69

Ananas Frühstückskuchen mit Knusperzimt 70

Avocado Smoothie 71

Chorizo Frühstück 72

Spezielle Frühstücksbutter 74

Leckere Frühstückseier Und Sauce 75

Tolles Frühstück Mit Speck Und Süßkartoffeln 77

Leckerer Frühstücksauflauf 78

Auberginen Frühstücksaufstrich 80

Original Obst Dessert 82

Preiselbeermarmelade 83

Beerenmarmelade 84

Spezieller Pudding 86

Einfaches Und Leckeres Kompott 88

Tolles Birnen-Dessert 89

Blumenkohl Und Lauch 91

Französische Endivienbeilage 93

Tomatensalat 94

Karottenpüree 96

Wunderbare Und Besondere Beilage 97

Rosenkohl Freude 99

Radieschensnack 100

Blumenkohl Dip 101

Spezieller Spinat-Vorspeisensalat 103

Spezielle Garnelen Vorspeise 105

Süßkartoffelaufstrich 106

Hühnchen Vorspeise 108

Einfaches Artischockengericht 110

Tomateneintopf 112

Rindfleischsuppe 113

SÜßER KARTOFFELSALAT 115

SCHNELLE MUSCHELN 117

CREMIGE KAROTTENSUPPE 119

HÜHNEREINTOPF 121

GEMISCHTE FRÜCHTERIEGEL 122

PALEO BROT 123

KAROTTEN KEKSE MIT CHIA SAMEN 124

THUNFISCH-EIER 125

TURBO MILCHREIS 126

SALAT MIT SPARGEL UND TOMATEN 128

THUNFISCH SALAT 130

ANANAS FRÜHSTÜCKSKUCHEN MIT KNUSPERZIMT 131

KOKOSNUSS KUCHEN 132

MANDEL SMOOTHIE 133

WÜRZIGE LACHSSUPPE 134

FRÜHSTÜCKS MUFFIN 136

NUSSMIX-BANANEN-BREI 137

JAMAIKANISCHE JERK HÄHNCHENSPIEß 139

MUFFINS MIT EI UND PAPRIKA 141

FRÜHSTÜCKSSALAT MIT POCHIERTEM EI, BABY-SPINAT UND SCHINKEN 143

PALEO-BROT: 145

GARNELENSALAT MIT AVOCADO 147

GEBACKENE BROKKOLI-EIER 149

SESAM-KOHLRABI-SALAT MIT KAROTTEN 150

SÜßKARTOFFEL STEAK MIT ZIEGENKÄSE 152

JAPANISCHES HÜHNER-CURRY 153

WÜRZIG MARINIERTES SCHWEINEFLEISCH MIT PFIRSICH SALSA 156

MIT AVOCADOCREME GEFÜLLTE EIER 158

RÜHREI MIT PFIRSICH UND BEEREN 160

KÜRBISSUPPE 161

HUMMUS UND SÜßKARTOFFEL VORSPEISE 163

PALEO MANDEL FREUDE EISBECHER 164

SÜßKARTOFFEL GNOCCHI 166

KOHLRABI-GRÜNKOHL-PFANNE 168

BLUMENKOHLPIZZA STÜCKE 170

SAURE SAHNE AUS KOKOSMILCH 172

GEBACKENE KARTOFFELCHIPS 173

GEFÜLLTE ZWIEBELN MIT HACKFLEISCH 174

MANGOLD UND SPECK SPIEßE 176

LEBERBÄLLCHEN 179

MEDITERRANER HÜHNERSALAT 181

LACHS-ZUCCHINI RÖLLCHEN 182

GEFÜLLTE PAPRIKA 183

SCHASCHLIK IN ROTE-JOHANNISBEEREN-MARINADE 185

FISCHREZEPTE 187

LACHSFILET MIT BUNTEM GEMÜSETOPPING 188

Kapitel 1: Was ist die Paleo Ernährung?

Paleo ist die Kurzform von Paleontologisch. Die Anhänger der Paleo Ernährung glauben, dass ihnen viele gesundheitliche Vorteile zuteil werden, wenn sie sich ernähren wie Menschen vor der landwirtschaftlichen Nutzung des Bodens. Daher wird die Paleo Ernährung auch Steinzeiternährung genannt. Es gibt heutzutage viele verschiedene Ernährungssysteme und Diätpläne. Davon entbehren die Meisten jeglicher wissenschaftlicher Grundlage. Diese Ernährungssysteme kann man wohl sortieren von „etwas unsinnig" bis „schlichtweg gefährlich". Das ist bei der Paleo Diät etwas anderes. Die Grundsätze der Paleo Diät basieren auf den Forschungen der Medizin, Biologie und Archäologie. Aber das wird bei der weiteren Lektüre dieses Buches klarer. Die Grundidee von Paleo ist, dass die natürliche Ernährung des Menschen wieder aufgegriffen wird. Der Mensch existiert seit 2.5 Millionen Jahren, betreibt aber erst seit ca. 10000 Jahren Landwirtschaft. Die Landwirtschaft hat zwar zum Aufbau der menschlichen Zivilisation geführt und trägt zu einem unglaublichen Bevölkerungswachstum bei, leider hat sie aber auch Nebenwirkungen. Diese Nebenwirkungen heißen Zivilisationskrankheiten.

Die 7 Grundsätze der Paleo Ernährung

Die Paleo Ernährung ist nicht kompliziert und man muss auch nicht auf so viel achten. Trotzdem gibt es ein paar Grundsätze. Einige dieser Grundsätze sehen sehr nach Taboos aus und das sind sie auch. Lassen Sie sich davon aber nicht abschrecken. Die 7 Grundsätze sehen erst einmal nach viel aus, wenn man sich an diese Ernährung erst einmal gewöhnt hat, wird es aber zu einer Selbstverständlichkeit. Geben Sie mir bitte auch die Chance die Grundsätze zu erklären, bevor Sie die Ernährungsweise geistig in der Luft zerreißen.

Kein Zucker

Der moderne Mensch isst Unmengen an Zucker. Zucker ist auch die Nr. 1 wenn es um die Auslöser für Zivilisationskrankheiten geht. Im Rahmen der Paleo Ernährung verzichtet man vollständig darauf
Kein Getreide

Vor der Erfindung der Landwirtschaft haben die Menschen nur in Ausnahmefällen Getreide gegessen. Heutzutage wird ein Mythos um das angeblich so gesunde Korn gesponnen. Leider ist es nicht mehr als ein Mythos. Warum das so ist, darauf kommen wir später zu sprechen. Auch das weiße Mehl und Reis wird gemieden.

Keine Fertiggerichte oder Fast Food

Der Neandertaler hatte bereits ein Geschäft für Säbelzahnburger. Das ist natürlich Unsinn! Das Problem an Fertiggerichten und Fast Food ist aber, dass es viel versteckten Zucker und künstliche Zusatzstoffe enthält. Wer sich Paleo ernähren will, der muss ohne Chemie im Essen klar kommen.
Den Obstverzehr einschränken

Obst ist nichts, was in der Paleo Diät komplett verboten ist. Aber Obst enthält auch viel Zucker. Damit widerspricht der Verzehr von Obst etwas gegen Punkt 1. Andererseits hatten Steinzeitmenschen Zugang zu

3

Früchten, aber eben nicht im Übermaß.
Verzicht von Milch

Dieser Punkt ist der Kontroverseste auf der Liste. Es gibt Paleobefürworter, die einige Milchprodukte zulassen. Für Anfänger ist aber Abstinenz empfehlenswert. Damit wird die Paleo Ernährung nicht übermäßig verkompliziert.
Für ein gutes Omega 3 und 6 Verhältnis sorgen

Die meisten Menschen nehmen zu viel Omega 6 und zu wenig Omega 3 auf. Fisch ist empfehlenswert, wenn es um das Gewinnen von Omega 3 geht.

Hoffentlich bist du mir jetzt nicht schon weg gerannt. Im nächsten Teil dieses Buches erkläre ich nämlich genau, weshalb diese Maßnahmen gesundheitliche Vorteile haben und was die moderne Ernährung eigentlich im Körper anrichtet.

Warum sollte man seine alte Ernährungsweise aufgeben?

Die moderne Ernährung ist nicht so gesund wie oft angenommen. Die Ergebnisse dieser Ernährung sehen wir tagtäglich. Laut WHO haben Zivilisationskrankheiten die Infektionskrankheiten inzwischen als größte Bedrohung für den Menschen abgelöst. Jedes Jahr sterben 16 Millionen Menschen, die unter 70 Jahre alt sind, an nicht übertragbaren Krankheiten. Zu diesen nicht übertragbaren Krankheiten zählen Diabetes, Herz-Kreislauf-Erkrankungen, Gefäßerkrankungen, Lungenkrankheiten und Krebs.

Wie hilf die Paleo Ernährung bei diesen Problemen? Die Antwort liegt in den 7 Grundsätzen, die bereits oben beschrieben wurden.

Kapitel 2: Was versteht man unter Kohlenhydrate?

Kohlenhydrate liefern dem Körper jene Energie, die er für die Aufrechterhaltung wesentlicher Körperfunktionen benötigt. Diese Energie wird oftmals aus Stoffen wie zum Beispiel Zucker gewonnen, denn Kohlenhydrate sind Zucker. Dabei muss man allerdings zwischen den unterschiedlichen Arten von Zucker differenzieren, es gibt Einfach-, Zweifach- und auch den Mehrfachzucker. Einfachzucker sind die kleinsten Einheiten, sie sind schnell vom menschlichen Körper zu verwerten und gehen mehr oder weniger sofort ins Blut über.

Wie wirken sich Kohlenhydrate auf den Insulinspiegel aus?

Die Kohlenhydrate haben einen nicht unwichtigen Einfluss auf unseren Insulinspiegel. Das Insulin, das in der Bauchspeicheldrüse gebildet wird, wird immer dann in die Blutbahn gebracht, wenn sich die Bausteine von Zucker im Blut befinden. Denn Insulin ist verantwortlich dafür, dass Zucker in die menschlichen Zellen gelangt. Die Einfachzucker wechseln in der Praxis direkt ins menschliche Blut über, die Mehrfachzucker müssen zuerst in Einfachzucker geteilt werden. Und das benötigt entsprechend mehr an Zeit und der Spiegel des Blutzuckers bleibt gleichmäßig auf einem Niveau.

Wenn viele Süßigkeiten gegessen wurden, wurde natürlich auch viel Einfachzucker konsumiert, der direkt ins Blut gegangen ist und auf diese Weise den Blutzuckerlevel mehr oder wenig drastisch erhöht hat. Jetzt müssen diese mithilfe des Insulins wieder entfernt werden, um die Zellen des Körpers entsprechend zu versorgen und Energie zur Verfügung stellen zu können.

Was versteht man unter dem Begriff „Ketose"?

Damit der menschliche Körper aus seinen Fettreserven überhaupt Energie ziehen kann, muss Fett in eine für den Körper auch verwertbare Form überführt werden. Bei einer solchen Art der Umwandlung werden „Keton-Körper" aus den Zellen des Körperfetts gewonnen und diese dienen in weiterer Folge dem Körper alternativ als Lieferanten für die benötigte Energie.

Der menschliche Körper muss sich natürlich auf diese Änderungen und die neue Art des „Fettstoffwechsels" einstellen und reagieren. Wie viel an Zeit der Körper in der Praxis benötigt, um sich zur Gänze an diese neuartige Stoffwechselsituation zu gewöhnen, ist natürlich individuell unterschiedlich. Meist benötigt der Körper nur einige wenige Wochen. Nach der Phase der Gewöhnung an diese neuen Prozesse beim Stoffwechsel gelingt es mühelos die benötigte Energie aus dem Fett oder den Fettreserven zu resorbieren.

Wie verträgt sich die Paleo-Diät mit Ernährung und Sport?

Wer Sport betreibt, benötigt auch viel Energie, und zwar viele Kohlenhydrate. Denn diese sorgen für den raschen Energie-Schub. Allerdings ist das nicht wirklich so, denn auch Sportler haben Vorteile bei einer Paleo-Ernährung.

Kapitel 3: Tipps beim Einkaufen

Zugegeben kann Paleo Diät manchmal etwas kostspielig sein. Tatsächlich ist es empfohlen, so oft wie möglich Biofleisch, Biobutter und Biogemüse zu essen. Es wird einem aber gleich klar, dass gerade diese Produkte die teuersten sind. Wer sich nicht immer die besten Lebensmittel leistet, für den können folgende Tipps nützlich sein.

Regale überspringen

Einkaufen für Paleo Diät kann man erstaunlicherweise ziemlich rasch von der Liste abhacken. In einem durchschnittlichen Supermarkt sind Gemüse, Obst und Fleischtheke relativ nah beieinander. Alles andere sind Regale, die voll beladen sind mit Dosen, Packungen und Tüten von Mehl, Süßigkeiten, Bohnen und Fertigsuppen. Mit Paleo kann man gezielt einkaufen und man ist auch schnell wieder zu Hause am Kochen!

Auf die Jagd nach Angeboten

Sich nach Angeboten umzuschauen kann sich für das Sparschwein lohnen. Außerdem trägt man weniger zur Lebensmittelverschwendung bei. Darunter sind es oft Bioprodukte, die mit Aktionspreisen versehen werden. So bekommt man gute Qualität für einen günstigeren Preis.

Gemüse, Gemüse!

Fleisch muss und soll nicht immer bei jeder Mahlzeit

sein. Ein- bis zweimal täglich und in kleinen Mengen ist mehr als genug. Etwa zwei Drittel unserer Nahrung sollte ohnehin aus Gemüse bestehen. Karotten, Tomaten, Auberginen oder verschiedene Kohlsorten sind meist günstig und füllen Teller und Magen.

Lachs? Nicht immer!
Ein guter Wildlachs ist besonders gesund, dank dem reichen Vorkommen and Omega-3- Fettsäuren sowie Vitamin B-6 und ist zweifellos eine köstliche Mahlzeit. Doch man muss nicht jeden Abend Lachs essen, um gesund zu werden. Mitte und Maß in allen Dingen sind immer von Vorteil.

Kapitel 4: Was ist die Paläo-Diät ?

Ich erwähnte kurz, was die Paläo-Diät am Anfang des Buches war; sonst wären alle meine Höhlenmenschen Witze für nichts gewesen. hier ist die erweiterte Definition der Paläo-Diät.

es kann argumentiert werden, dass in der prähistorischen Periode, Menschen aate bio, natürlich angebaute Lebensmittel. sie jagten nach freilaufenden Tierfleisch. Sie sammelten wildes Obst und Gemüse. Sie ergänzten ihre Ernährung mit feuergerösteten Nüssen und Samen. sie gruben Wurzeln aus. sie tranken hauptsächlich Wasser. aus diesem Grund waren sie in relativ guter Gesundheit.

Höhlenmenschen mussten essen, was sie finden konnten und regelmäßig trainierten. Ich schätze, wenn jedes Mal, wenn Sie aus der Haustür ging es etwas versucht, Sie zu essen, dann blieben Sie wahrscheinlich in Form. Was ich am faszinierendsten an der Paläo-Diät finde, ist, dass es keine Kohlenhydrate in Form von Pasta, etc. gab.

und doch sind diese Lebensmittel irgendwie genau die Dinge, von denen wir alle glauben, dass wir Energie brauchen. wir glauben, dass wir Nudeln, Körner und verarbeitete Kohlenhydrate brauchen, um unsere Energie aufrecht zu erhalten. wenn das der Fall ist, wie konnten die Höhlenmenschen die Energie haben, Raubtiere zu überrennen und tagelang zu jagen?

Erst in den letzten 10.000 Jahren wichen wir von der gesunden Höhlenmenschen-Diät ab, die genau zu der Zeit ist, als der Mensch die Landwirtschaft entdeckte. für die 200.000 Jahre zuvor mussten die Höhlenmenschen ihre Nahrung verjagen, ihr Land verteidigen und viele Hindernisse überleben.

aber eines Tages hat jemand entweder herausgefunden, wie oder beeinflusst wurde, um mit der Pflanzung und dem Anbau seiner eigenen Nahrung zu beginnen. Domestizierende Tiere wurden zur Norm, wenn man jeden Tag rausgehen und einen jagen muss. Anstatt jetzt rauszugehen und Essen zu finden, bist du einfach in deinen Hinterhof gegangen, hast dir ein paar Kartoffeln geschnappt und ol' bessy zum Metzger geschickt, nun hast du sie zuerst gemolken und dann ging es los.

wie bei allem, was wir Menschen tun, war es nicht genug, genug zu haben. in den letzten 10.000 Jahren haben wir mit der Massenproduktion von Lebensmitteln begonnen, so viel wie wir essen. Lebensmittel zu verschwenden, die in Höhlenmenschenzeiten unerhört gewesen wären. Ich möchte nicht erraten, wie viel von dem Tier sie aedten, aber ich errate alles, was essbar war. es hätte kein Kind in der Höhlenmenschenfamilie gegeben, das seine Wurzeln wegschiebt und sagt, er mag sie nicht.

die Eltern würden nur sagen, "dann kannst du verhungern" und das Kind hat es höchstwahrscheinlich getan, oder er hat gelernt zu essen, was verfügbar ist.

die Paläo-Diät wurde leider zu einer Sache, die nur die Höhlenmenschen in den Geschichtsbüchern taten. es gab einfach nicht mehr genug von ihnen, um ihre Ernährung Mainstream zu halten.

Schauen Sie sich die Nahrung an, die wir jetzt essen: Es ist nicht das, was wir essen sollten, und unser Körper versucht uns, uns das mit mehr Krankheit und Fettleibigkeit zu überlassen, als die Höhlenmenschen jemals gesehen hätten. wie wir essen, ist wie ein Löwe, der versucht, auf Einer Wassermelone zu leben, oder einer Kuh, die nur Fisch isst. es ist einfach nicht das richtige Essen für das, was wir sind.

die Paläo-Diät ist etwas, das Ihr Leben verändern und potenziell Ihre Gesundheit so verbessern kann, dass Ihre täglichen Schmerzen verschwinden. wenn Sie immer noch unsicher über all dies sind, lesen Sie weiter und Sie werden sehen, wie einfach es ist, diesen Teil Ihres Lebensstils zu machen.

Lassen Sie sich nicht von dem Höhlenmenschen abschrecken: Während die Paläo-Diät restriktiv erscheint, werden Sie in Kapitel 5 entdecken, wie viel Nahrung Sie zur Auswahl haben.

Kapitel 5: intermittierendes Fasten & Paläo

Wenn wir über die Rückkehr zu einem primitiven Lebensstil sprechen, ist es wichtig anzuerkennen, dass die Höhlenmenschen höchstwahrscheinlich fasteten, besonders wenn die Jagd auf den Tag nicht so gut geklappt hat. Ich glaube, es macht nur Sinn, über intermittierendes Fasten in diesem Buch zu gehen, so dass auch Sie sehen können, ob es etwas ist, das Sie zu Ihrem Paleo-Lifestyle hinzufügen möchten.

Sie sollten beachten, dass Fasten nicht bedeutet, Ihren Körper für Tage am Ende vollständig zu berauben, wie Sie vielleicht bei Protesten auf t.v. gesehen haben, müssen Sie sich nicht selbst verhungern, um zu fasten. Stattdessen können Sie Zeit, wenn Sie essen und überspringen bestimmte Mahlzeiten. Sie werden weiterhin genügend Wasser verbrauchen, um Austrocknung zu verhindern, was mir ein Rat schlage, ob er fastet oder nicht.

Fasten sollte nicht für sehr lange Zeiträume durchgeführt werden. einige Leute glauben, dass, wenn ein wenig gut ist, mehr besser sein muss, was selten der Fall ist. Wenn Sie mehr als achtundvierzig Stunden fasten, kann Ihr Stresslevel steigen, was den Stoffwechsel verlangsamt und die Cortisolproduktion ankurbelt.

Dies ist nicht ideal für die Gewichtsabnahme, weil hohe Mengen an Cortisol in Ihrem Körper können Sie sich körperlich müde fühlen, emotional, und geistig. Was machen wir alle gerne, wenn wir uns so fühlen? essen Sie natürlich Junk Food. Wenn Sie für längere Zeit fasten, erhöht es Ihre Chancen auf Binging, sobald Sie aus dem Fasten kommen.

Sie können auch Ihre Muskeln schädigen, indem Sie für längere Zeit fasten. Cortisol baut Muskelgewebe durch Freisetzung von Aminosäuren ab. Wenn Sie Muskeln verlieren, verringern Sie Ihre Chancen, schnell Gewicht zu verlieren, weil Muskeln bei der Verbrennung überschüssiger Fette notwendig sind.

die meisten Menschen überspringen das Frühstück im Leben bereits, und mehr Studien beginnen, wirklich herausforderungung essen 6 mal am Tag, wie es ist. Wenn Sie natürlich schon das Frühstück überspringen, wird das gelegentliche Fasten in Ihr Leben ganz einfach sein. Viele Menschen finden das Leben auch viel bequemer, wenn sie intermittierendes Fasten verwenden.

Es gibt drei Hauptwege, wie Sie intermittierendes Fasten in Ihren Lebensstil integrieren können:

1. Sie können wählen, um alle Ihre Lebensmittel während eines bestimmten Zeitraums zu essen, in der Regel 6-8 aufeinander folgende Stunden des Tages. Ein Beispiel wäre nur essen von 12-20 Uhr. So essen die meisten Menschen, die das Frühstück überspringen, schon, es sei denn, sie sind morgens im Nacken.

Diese Methode erfordert, dass Sie immer noch gesund und die richtige Anzahl von Kalorien pro Tag essen, aber wird höchstwahrscheinlich auf 2-3 Mahlzeiten statt der 6-8 anderen Menschen verbrauchen kondensiert werden.

Ich werde der erste sein, der als Gewichtsverlust-Trainer sagt, dass eine große Mahlzeit um 20 Uhr zu essen und dann gehen, um zwei oder drei Stunden später mit null körperlichen Aktivität schlafen kann zu Gewichtszunahme führen. Wenn Sie beginnen, Gewichtszunahme von dieser Fastenmethode bemerken würde ich vermuten, dass Ihre 20pm Fütterung ist der Schuldige, in diesem Fall würde ich essen 10-18 uhr oder 12-18 Uhr.

Diese Art des intermittierenden Fastens kann täglich durchgeführt werden, solange Sie sicherstellen, dass Sie genügend Kalorien verbrauchen, um ein gesundes Energieniveau in der 6-8 Stunden Periode zu halten. für Die Gewichtsabnahme zielen Sie auf 10-15 Kalorien pro Pfund magerer Körpermasse, aufgeteilt auf die Anzahl der Mahlzeiten, die Sie essen möchten. Dies ist nur ein Ausgangspunkt, und Sie müssten entsprechend basierend auf Ihren Ergebnissen anpassen.

2. Andere Menschen ziehen es vor, volle 24 Stunden vom Essen ein paar Mal pro Woche zu nehmen. Dies würde aussehen, als ob Sie auf einem normalen Zeitplan für Ihren Tag essen, um Ihre letzte Mahlzeit um 20 Uhr zu beenden, und dann würden Sie nicht wieder bis 20 Uhr am nächsten Tag oder was auch

immer Ihre letzte Mahlzeit am Vortag war essen. Ich empfehle Dringend, dass Sie nur 24 Stunden zweimal pro Woche an nicht aufeinander folgenden Tagen fasten.

Ich würde sagen, dass Sie diszipliniert sein müssen, um diese Methode zu tun, weil es zu übermäßigen Essen ziemlich einfach führen kann. haben eine Mahlzeit nach dem 24-Stunden-Zeitraum geplant, die hoch in Faser ist und wird Sie füllen; sonst können Sie sich finden, downing eine Prise ben & jerry's, weil Sie Zucker so schlecht sehnen.

3. 5:2 Diät ist eine Art intermittierendes Fasten, das auch mit Paleo funktioniert. es würde mehr von dem nachahmen, was mit dem Höhlenmenschen passieren würde, wenn die Jagd für den Tag leer würde und sie sich auf einige ihrer gelagerten Lebensmittel verließen. sie würden an diesem Tag einige kalorienärmer essen und am nächsten Tag eine weitere Jagdmission antreten, in der Hoffnung, dass das Essen reichlicher sein würde.

Die 5:2-Diät, auch bekannt als die 5/2-Diät, ist eine Diät, die extreme Kalorienrestriktion für zwei nicht aufeinander folgende Tage pro Woche und regelmäßige Ernährung für die anderen fünf Tage der Woche beinhaltet. Mit der 5:2-Diät verbrauchen Männer während ihrer Fastentage sechshundert Kalorien, während Frauen während ihrer Fastentage fünfhundert Kalorien verbrauchen. Ein typischer Fastentag könnte ein Frühstück sein, das aus

18

dreihundert Kalorien besteht: beliebte Auswahl sind schwarzer Kaffee, Wasser oder grüner Tee mit Schinken und ein paar Eiern.

zum Mittag- oder Abendessen können gegrilltes Fleisch oder Fisch mit Gemüse gegessen werden. Diese Mahlzeit besteht aus dreihundert Kalorien. Es sei darauf hingewiesen, dass der tägliche Bedarf von 500 oder sechshundert Kilokalorien in kleinen Portionen eingenommen werden sollte. vermeiden Sie, eine 500-600 Kalorien-Mahlzeit auf einmal zu tun.

an Ihren regulären Tagen sind Sie frei zu essen, was Sie wollen, aber wollen vermeiden, über 2000 Kalorien für Frauen und 2400 für Männer. Die Essensplanung ist wichtig, um sicherzustellen, dass Sie an Ihren Fastentagen und Ihren regulären Tagen innerhalb Ihrer zugeteilten Kalorien bleiben. es hat keinen Sinn, zwei Tage zu fasten und die anderen 5 zu überessen. die Kalorien sind Schätzungen, und Sie müssen testen, was für Sie am besten funktioniert.

- Warum Intermittierendes Fasten Funktioniert

Wenn Sie essen, dauert Ihr Körper mehrere Stunden, um die Nahrung zu verarbeiten und Fette zu verbrennen. da Sie gegessen haben, wird Ihr Körper nicht auf Ihre gespeicherten Fette zurückgreifen, um Energie zu erhalten. stattdessen wird es die Fette aus der Nahrung verwenden, die Sie gerade konsumiert haben. dies gilt insbesondere dann, wenn Sie gerade zucker- und/oder kohlenhydratreiche Lebensmittel gegessen haben.

Wenn Ihr Körper nur die Nahrung verwendet, die Sie als Primäre Energiequelle gegessen haben, bleibt das gesamte gespeicherte Fett in Ihrem Körper unberührt. nicht das beste Szenario für Denfettabbau. wir müssen natürlich Nahrung für Energie essen und funktionieren, aber wir können intermittierendes Fasten verwenden, um unseren gespeicherten Fettverbrauch zu maximieren.

wenn Sie fasten, wird Ihr Körper gezwungen sein, Ihre gespeicherten Fette als Energiequelle anstelle des Glykogens in Ihrer Leber und Muskeln oder der Glukose in Ihrem Blutstrom zu verwenden. das gleiche geht, wenn Sie in einem Fastenzustand trainieren. während dieses Zustandes wird Ihr Angebot an Glykogen und Glukose erschöpft.

Ich würde einen Großteil meiner Gewichtsabnahme auf das Training in einem Fastenzustand zuschreiben, obwohl ich nicht wusste, dass das ist, was ich zu der Zeit tat. Ich trainierte um 5:30 Uhr und hatte keine Lust zu essen, bevor ich ins Fitnessstudio ging, also war die Realität, dass ich jedes Mal in einem Mini 8 Stunden Fasten war, wenn ich ins Fitnessstudio ging und dann direkt danach essen würde.

Was als nächstes passiert, ist Ihr Körper wird gezwungen, sich anzupassen und das in Ihren Zellen gespeicherte Fett für Energie zu verwenden. dies geschieht, weil Ihr Körper auf den Verbrauch von Energie mit der Produktion von Insulin reagiert. Grundsätzlich gilt: Je empfindlicher der Körper auf Insulin reagiert, desto effizienter kann er abnehmen und Muskeln aufbauen.

Wenn Sie schlafen, Glykogen in Ihrer Leber und Muskeln gespeichert ist erschöpft, und wenn Sie trainieren, es wird weiter erschöpft und Sie werden empfindlicher auf Insulin. Wenn Sie nach dem Training essen, wird das Essen, das Sie aateten, als Glykogen gespeichert und als Energie verbrannt. es werden nur kleine Mengen als Fett gespeichert.

Wenn Ihre Empfindlichkeit gegenüber Insulin auf einem normalen Niveau ist, was bedeutet, dass Sie nicht auf einem intermittierenden Fasten sind, werden die Kohlenhydrate, die Sie verbrauchen, die nicht für Energie verwendet werden, als Fett gespeichert. Ihr Wachstumshormon erhöht sich, während Sie fasten und während Sie schlafen. Wenn Sie also Fett verlieren und mehr Muskeln aufbauen möchten, sollten Sie Ihre Insulinempfindlichkeit erhöhen, indem Sie intermittierendes Fasten praktizieren.

- Vorteile und Nebenwirkungen des intermittierenden Fastens

Vorteile

die meisten Menschen entdecken, wenn sie anfangen zu fasten, dass sie mehr aus Gewohnheit als aus Hunger Essen gegessen haben. Wenn du fastst, wärst du bewusst den genauen Zeitraum, den du an diesem Tag isst und nicht sinnlos isst. wie jede Art zu essen gibt es Vor- und Nachteile, was es Ihnen bieten kann.

einige Leute haben die folgenden Vorteile während des Fastens in Anspruch genommen:

• verbessertes Immunsystem durch das Fehlen regelmäßiger Erkältungen und Grippe

• energiefördernd

• ein gesteigertes allgemeines Wohlbefinden

• Senkung des Cholesterinspiegels, des Glukosespiegels im Blut und des Blutdrucks

• Gesamtentgiftung des Körpers

• gesündere Essgewohnheiten und Verringerung der Überernährung

• spürbare Verbesserung von Arthritis, Verdauungsstörungen, Hauterkrankungen und anderen Beschwerden

• erhöhte Fettverbrennungsfähigkeiten

Ihre Stoffwechselrate steigt tatsächlich während des kurzfristigen Fastens (aber sinkt nach 72-96 Stunden Fasten, also überdauern Sie es nicht)

auch mit diesen Vorteilen immer sicher sein, Ihren Arzt zu konsultieren, um sicherzustellen, dass Sie sich keinen persönlichen Schaden verursachen.

Einer der Hauptvorteile des intermittierenden Fastens, das wir diskutiert haben, ist die Gewichtsabnahme. jedes Mal, wenn Sie Überschüssiges Gewicht verlieren, werden Sie eine Verbesserung der Qualität Ihres Lebens sehen. Ihre Gesundheit wird besser sein, Ihr Körper wird weniger giftig sein und Sie werden höhere Energieniveaus haben.

dies geschieht, ob Sie Gewicht mit Fasten verlieren oder nicht. nur erkennen, dass diese Vorteile so kurz oder langfristig sein können, wie Sie möchten, dass sie auf Ihrer Ernährungswahl basieren. wenn Sie Abnehmen, nehmen Sie eher an Bewegung teil, was die gesundheitlichen Vorteile doppelt erhöht.

Ich weiß, wenn Sie übergewichtig sind, auch wenn Sie mit dem Training beginnen, kann sich wie eine unmögliche Aufgabe anfühlen. Sie müssen nicht trainieren, um gewicht zu verlieren mit der Paläo-Diät und intermittierenden Fasten; die Lifestyle-Anpassung ermöglicht es Ihnen, Gewicht zu verlieren, ohne einen Schweiß zu brechen. Sie werden erstaunt sein, wie motiviert Sie sind, sich zu bewegen, sobald Ihr Gewicht zu fallen beginnt.

was mehr ist, die guten Bakterien in Ihrem Darm gefunden wird sich verbessern. Intermittierendes Fasten unterstützt gesunde Darmbakterien, die Ihr Immunsystem stärken und Sie vor zahlreichen Krankheiten schützen. Wenn Sie ein gesundes Immunsystem haben, werden Sie in der Lage sein, besser zu schlafen, haben geistige Klarheit verbessert und sind energetisierter.

Intermittierendes Fasten funktioniert, weil der richtige Kalorienverbrauch entscheidend für die Gewichtsabnahme ist. Wenn Sie also jeden Tag sechzehn Stunden oder vierundzwanzig Stunden pro Woche fasten, erleichtern Sie es Ihrem Körper, seine Kalorienzufuhr einzuschränken.

Sie sind in der Lage, Gewicht schneller zu verlieren, weil Sie weniger Kalorien essen als früher.

Nebenwirkungen

jedes Mal, wenn wir von einem ungesunden Ess-Lebensstil oder sogar unserer regelmäßigen Essroutine wechseln, werden wir einige Nebenwirkungen erleben. gesunde Nahrung oder nicht, wird es eine Änderung, die Ihr Körper erlebt, wenn Sie die Anpassung vornehmen.

Hunger wird der Hauptnebeneffekt sein, wenn Sie anfangen zu fasten. die Realität ist, dass unser Hungergefühl durch unsere Notwendigkeit ausgelöst wird, unsere Überernährungsgewohnheiten zu unterstützen. Ihr Körper erwartet, die Freiheit zu haben, sich jeden Tag zu schluchzen, also wenn Sie dieses Verhalten ändern, denkt er, dass er hungrig ist.

unsere Gewohnheit, die ganze Zeit zu viel zu essen, lässt unseren Körper das Gefühl haben, dass er nach 2 Stunden verhungert. wenn Sie sich auf das Fasten einstellen, werden die Hungerschmerzen abnehmen, da Sie Ihren Körper umschulen, wann er essen sollte. Ihr voller Zähler wird zurückgesetzt, um Ihrem Fasten zu entsprechen.

einige Leute behaupten, dass sie diese Nebenwirkungen während des Übergangs erlebt haben:

• niedrige Energieniveaus

• Kopfschmerzen

• erhöhte Hungerschmerzen

• Muskelschwäche

eine Person, die einen gesunden Lebensstil führt, kann minimale Nebenwirkungen bemerken, die ihre Essgewohnheiten im Vergleich zu einer Person ändern, die ständig Junk übernimmt und Raucher war. auch, Sie könnten viel mehr Symptome als das, was aufgeführt werden. es ist schwierig, eine genaue Liste zu geben, die Sie erwarten sollten, um zu erleben.

zahlreiche Menschen brechen während der Übergangsphase ab, so dass sie die sagen, dass Fasten nicht funktioniert und dass die Nebenwirkungen schrecklich waren. dann haben Sie die Leute, die es ausgesteckt und sagte, alle Nebenwirkungen verschwanden innerhalb kurzer Zeit.

der wichtige Punkt zu erkennen ist, dass wir alle unterschiedlich sind und verschiedene Nebenwirkungen bei verschiedenen Intensitätsstufen erleben werden. viele dieser Nebenwirkungen sind von der Entgiftung, die Sie fühlen, sobald Sie ungesunde Nahrung ausschneiden.

Sie werden auch lesen, dass Fasten nicht gut für langfristige Gewichtsverlust ist, und ich stimme mit dieser Aussage, wenn Sie Fasten im traditionellen Sinne verwenden. Diese Art des Fastens hat Sie selbst für Tage oder Wochen zu einer Zeit verhungern lassen, worum es in diesem Buch überhaupt nicht geht. Sie können zeitweise gesund und sicher fasten.

Wenn Sie auf einer Paläo-Diät sind, können Sie sicher sein, dass Sie die richtigen Arten von Lebensmitteln essen und intermittierende Fastenarbeit machen müssen Sie nur die richtige Menge davon essen.

- Pilz-Omelette mit Cashew-Nüssen

serviert: 1

Zutaten:

3 frische Crimini oder Portabello Pilze, sauber mit einem Papiertuch gekratzt (nicht waschen oder sie werden viel Wasser absorbieren) dick geschnitten

3 große Eier, gut gerührt

verschiedenegemüse, fein gehackt

1 EL Haufen, Knoblauch geröstete Cashewnüsse

1 EL natives Olivenöl extra

Salz, nach Geschmack

Wegbeschreibungen:

1. in einer Antihaft-Pfanne das Olivenöl bei mittlerer Hitze erhitzen. Legen Sie eine Handvoll in Scheiben geschnittene Pilze, und braten Sie diese, bis sie auf beiden Seiten braun werden. Dies sollte nicht mehr als 4 Minuten pro Seite in der heißen Pfanne dauern. auf einem Teller beiseite gestellt werden. den Rest der Pilze in Chargen kochen. um auch kochen zu gewährleisten, nicht die Pilze in der Pfanne verdrängen. genügend Platz zwischen den Stücken lassen, um Feuchtigkeit verdampfen zu lassen.

2. Sobald die Pilze alle gekocht sind, bringen Sie sie in die Pfanne zurück. diese so verteilen, dass die Stücke

den größten Teil der Kochfläche abdecken. die Ofenwärme auf die niedrigste Einstellung senken.

3. in einer kleinen Schüssel die Eier gut rühren, bis sie schaumig werden. in die Pfanne gießen. Wirbeln Sie die Eier herum, bis sie den Boden der Pfanne und die Pilze bedecken.

4. sehr schnell in die restlichen Zutaten streuen, mit Ausnahme des Salzes. Legen Sie einen Deckel auf die Pfanne, und warten Sie 2 bis 4 Minuten, oder bis die Mitte des Omeletts eingestellt ist.

5. Das Omelett sofort auf eine Platte geben. mit Salz (falls erforderlich) kurz vor dem Servieren würzen.

Hinweis: Wenn Sie übrig gebliebenes gebratenes Huhn, gebratene Schweineschnitzel oder Roastbeef haben, würfeln Sie etwa 2 EL und fügen Sie das Omelett mit den Cashews und gemischtem Gemüse hinzu.

- Beeren in lila Infusionswasser

dient: gut, so viel Sie wollen...

Zutaten:

eine Handvoll frischer oder gefrorener Brombeeren, geschält, gut gespült

eine Handvoll frischer oder gefrorener Heidelbeeren, geschält, gut gespült

eine Handvoll frischer oder gefrorener Himbeeren, geschält, gut gespült

eine Handvoll frischer oder gefrorener Erdbeeren, geschält, gut gespült

Eiswasser oder zerkleinertes Eis, genug, um ein großes Maurerglas zu füllen

Wegbeschreibungen:

1. Alle Beeren in ein großes, frisch gewaschenes Maurerglas geben. Das Glas auf halbem Weg mit Eiswasser oder zerkleinertem Eis füllen. Rühren Sie dies mit einem Schlammoder einem Holzlöffel, wobei Sie darauf achten, ein paar Beeren auf dem Weg zu zerkleinern. aber nicht alle Beeren zerdrücken. höchstens, können Sie die Beeren zerquetschen, nur so dass sie ihre Aromen ins Wasser freisetzen.

2. Füllen Sie den Rest des Maurerglases mit Eiswasser oder zerkleinertem Eis. den Deckel fest aufsetzen.

29

lassen Sie dies für mindestens eine Stunde im Kühlschrank sitzen.

3. zu dienen: geben Sie den Inhalt des Maurerglases eine schnelle Rühren. etwas Wasserinfusion in ein hohes Glas gießen und sofort servieren. Da dieses Getränk absolut kein Fett oder Zucker zusatz hat, können Sie das gesamte Maurerglas in Ihrer Freizeit konsumieren.

Hinweis: Andere Alternativen zu Beeren, die Sie vielleicht ausprobieren möchten, sind Keile aus Grapefruits, Zitronen, Limetten und Orangen. Sie können auch die kühle Mischung aus Gurkenscheiben mit Minzzweige probieren. Sie können auch Eiswasser und Beeren jederzeit nachfüllen. Wenn Sie etwas mit Ihrem Getränk kauen wollen, können Sie immer die Früchte in Ihrem Wasseraufguss essen.

- Paleo Sichere Ceviche

Marken: 8 Portionen

Zutaten:

1 Schalotte, mittel, geschält, halbiert, in dünne Wafer geschnitten

für die Fischbasis:

2 Pfund frische Fischfilets, wenn möglich, direkt aus dem Fischhändler oder aus dem Stall auf dem Fischmarkt, gespült, pat-getrocknet, gewürfelt. je frischer der Fisch, desto besser. Sie können wählen: Schwarzbrassen, Dover Sohle, Gurnard, Pollock, Lachs, Wolfsbarsch, Seebrassen, Tilapia und Thunfisch. Sie können auch Lorbeerjakobsmuscheln oder schnell gekochte Garnelen verwenden.

5 Zitronen, groß, halbiert, Säfte gepresst, Samen entfernt

1 Limette, mittelgroß, halbiert, Säfte gepresst, Samen entfernt

8 Knoblauchzehen, groß, geschält, in dünne Scheiben geschnitten

4 Stiele frisch Koriander, Wurzeln und holzige Stiele entfernt, gehackt

1 habanero chili, oben entfernt, halbiert, gesät, dünn geschnitten

Salz & Pfeffer nach Geschmack

für den Salat:

1 Avocado, groß, halbiert, entsteint, geschält, gewürfelt, ungefähr so groß wie die Fischfilets

1 Tomate, groß, halbiert, gewürfelt, ungefähr so groß wie die Fischfilets

Romaine oder Butternusssalatblätter, entkernt, gewaschen, gut entwässert

Wegbeschreibungen:

1. Die in Scheiben geschnittenen Schalotten in eine kleine Schüssel geben. Eine Prise Salz dazugeben und die dünnen Waffeln sanft massieren. Beiseite.

2. um die Salatbasis zu machen: Legen Sie die gewürfelten Fischfilets in einen nicht reaktiven Behälter.

3. in einer separaten Schüssel, kombinieren Sie die restlichen Zutaten für die Salatbasis. Gut mit Salz und Pfeffer würzen. Sie können aufhören zu mischen, wenn sich die meisten Salzkristalle aufgelöst haben. gießen Sie dies über die gewürfelten Fischfilets. den Inhalt des nicht reaktiven Behälters vorsichtig umrühren.

4. mit einem feinmaschigen Kolander die Schalotten unter dem Wasserhahn ausspülen. drücken Sie diese, um die überschüssige Flüssigkeit zu entfernen. fügen Sie dies dem Rest der Ceviche hinzu. mit

Verschlussverpackung abdecken und vor dem Servieren mindestens 24 Stunden im Kühlschrank aufbewahren.

5. Nach 24 Stunden den Behälter aus dem Kühlschrank nehmen. entfernen Sie die Klebefolie und reservieren Sie etwa 2 Esslöffel der einweichenden Flüssigkeit. mit einem feinmaschigen Kolander, belasten Sie sanft die Ceviche. die Feststoffe in den nicht reaktiven Behälter zurückbringen und die reservierte Einweichflüssigkeit zurückgießen.

6. zu montieren: legen Sie ein großes Salatblatt auf eine Platte. fügen Sie in etwa 1 Teelöffel gewürfelte Avocados und 1 Teelöffel gewürfelte Tomaten. oben diese mit 1 Esslöffel der Ceviche. Sie können dies entweder so servieren, wie es ist, oder den Salat in das Salatblatt rollen. sofort servieren.

Hinweis: Montieren Sie diesen Salat nur, wenn Sie bereit sind zu essen. Sie können die Anzahl der Salatblätter so viel erhöhen, wie Sie pro Portion wollen. Den Rest der Ceviche für die nächsten 2 Tage im Kühlschrank aufbewahren.

- Erdbeere Eistee

serviert: 3

Zutaten:

1 Pint frische oder gefrorene Erdbeeren, geschält, gewaschen und gut entwässert

2 über reife Bananen, geschält, grob gehackt

1 Tasse zerkleinertes Eis

und halb Zitrone, klein, Säfte gepresst, Samen entfernt

4 Tassen gebrauter Tee, gekühlt für eine Stunde vor der Verwendung; Verwenden Sie, was auch immer Tee-Mischung, die Sie mögen, außer denen mit Milch, Tisane funktioniert auch gut mit diesem Rezept

Zucker zum Frosten

und halb Zitrone, geviertelt, 1 Viertel zum Frosten, die anderen 3 für Garnierung

Wegbeschreibungen:

1. die geschminkten Erdbeeren, das zerkleinerte Eis, den Limettensaft und die Bananen in einen Mixer geben und verarbeiten, bis die meisten Beeren verflüssigt sind.

2. in einem großen Krug die Erdbeermischung mit dem gekühlten Tee eingießen. geben Sie dies eine schnelle Rühren.

3. Nehmen Sie ein Viertel der Zitrone. die Felgen der Gläser mit dem freiliegenden Zellstoff leicht befeuchten.

4. Zucker auf Untertasse legen. Ein hohes Glas in die Untertasse drehen und diese herumwirbeln, damit die Felge einen schönen Zuckerfrost bekommt. Wiederholen Sie diesen Schritt mit der restlichen Brille.

5. Den Eisteee in die zuckergefrosteten Gläser gießen. sofort servieren.

- Pfanne gegrilltes Lachsfilet mit roher Mangosalsa

serviert: 1

Zutaten:

für das Lachsfilet:

16 Unzen Lachsfilet. Sie können auch Thunfischfilet verwenden. Jedes Weißfischsteak funktioniert auch gut mit diesem Rezept, aber die Garzeit kann variieren.

Dash von Meer oder koscherem Salz

jedes paleo sichere Öl, zum Nieselregen

für die Salsa:

1 rohe oder grüne Mango, klein, geschält, entsteint, gehackt

1 Schalotte, klein, gehackt

2 Zweige frische Koriander, Wurzeln und holzige Stiele entfernt, gewaschen, getrocknet, gehackt

1 TL weißer Essig

1 EL gemahlene Pfefferflocken

Salz & Pfeffer nach Geschmack

1 Zweig frischer Koriander, Wurzel und holziger Stiel entfernt, gewaschen, getrocknet, ganz, zum Garnieren

Wegbeschreibungen:

1. die Salsa zu machen: außer der Garnierung, kombinieren Sie alle Zutaten in einer kleinen Schüssel. Gut mit Salz und Pfeffer würzen. Vor dem Servieren mindestens 15 Minuten in den Kühlschrank stellen.

2. den Fisch zu kochen: Das Fischfilet auf beiden Seiten mit Salz würzen. Beiseite.

3. in der Zwischenzeit eine Grillpfanne bei mittlerer Hitze setzen. Mit Öl beträstern, gerade genug, um sicherzustellen, dass der Fisch nicht am Boden der Pfanne klebt. die Pfanne aufheizen, bis sie rauchig ist.

4. Legen Sie das Fischfilet auf die heiße Kochfläche. eine Seite für ca. 30 Sekunden bis 1 Minute zu besinnen. Die Garzeit hängt davon ab, wie dick Ihr Fischfilet ist. je dünner Ihr Fleisch ist, desto schneller kocht es.

5. Das Fleisch vorsichtig umdrehen und die andere Seite für weitere 1 bis 2 Minuten anlegen.

6. Den gekochten Fisch auf ein Blatt Aluminiumfolie übertragen. versiegeln und für mindestens 5 Minuten beiseite stellen. dies wird den Fisch durchkochen lassen, ohne ihn auszutrocknen. nach 5 Minuten den Fisch aus der Folie nehmen und die Säfte entsorgen.

7. zu montieren: den gekochten Lachs auf einen Teller legen. mit einem ganzen Zweig Koriander garnieren. die Mango-Salsa auf der Seite servieren. sofort servieren.

Wurst und Pfeffer Frühstückskasserolle

Zutaten

16 Eier

1/2 Tasse Kokosmilch

1 Pfund Wurst zerbröckelt

2 Paprika jede Farbe

2 Teelöffel frischer Thymian

2 Knoblauchzehen gehackt

Meersalz nach Geschmack

Schwarzer Pfeffer nach Geschmack

Anleitung

1.Ofen vorheizen auf 350 Grad. Die Eier in einer großen Schüssel mit der Kokosmilch vermengen.

2.In einer großen Pfanne, fügen Sie die Wurst, Paprika und Thymian, und braten die Zutaten, bis Wurst fast durch ist. Fügen Sie den Knoblauch hinzu und fahren Sie weiter, bis die Wurst fertig ist. Dann fügen sie die Mischung in eine große Auflaufform.

3.Gießen Sie die Eier über die Wurstmischung und backen Sie für 20-25 Minuten im Ofen, bis Eier gesetzt sind. Vor dem Servieren etwas abkühlen lassen.

Zubereitungszeit: 40 Minuten

Eiweiß Veggie Muffins

Zutaten
Kokosölspray
24 Eiklar
½ Rote Paprika (fein gewürfelt)
½ Gelbe Paprika (fein gewürfelt)
2 Tassen Frischer Spinat
3 Grüne Zwiebeln (Topping)
Salz und Pfeffer (nach Geschmack)

Anleitung
1.Den Ofen auf 350 Grad vorheizen.
2.Muffinblech mit Kokosspray einsprühen oder Muffinförmchen verwenden.
3.Das Eiweiß zusammen mit dem Salz und Pfeffer in einer großen Schüssel schlagen.
4.Rühren Sie in den Paprika und Spinat.
5.Vorsichtig die Eier- und Gemüsemischung in die Muffinförmchen löffeln und die Mischung gleichmäßig verteilen.
6.Backen Sie für 25-30 Minuten oder bis das Eiweiß eingestellt ist.
7.Aus dem Ofen nehmen und 5 Minuten vor dem Servieren abkühlen lassen.
8.Warm servieren und mit grünen Zwiebeln übergießen. Alternativ können Sie die Muffins im Kühlschrank aufbewahren.

Zubereitungszeit: 40 Minuten

Sunny Gurkensalat

Zutaten
2 Gurken in Scheiben geschnitten
1 Zwiebel in Scheiben geschnitten
3 Orangen in kleine Stücke geschnitten
1 Esslöffel Olivenöl
2 Esslöffel frischer Orangensaft
¼ Tasse Gehackte frische Petersilie
Meersalz und frisch gemahlener Pfeffer nach
Geschmack

Anleitung
1.Setzen Sie alle Zutaten in einer großen Schüsselgut
vermengen. Abschmecken mit Salz und Pfeffer und
servieren.

Zubereitungszeit: 10 Minuten

Mini Steak Bites

Zutaten
450g Rindfleisch
Meersalz und frisch gemahlener Pfeffer
4 EL Kokosöl

Anleitung
1.Vom Rindlfeisch Fett und Knorpel entfernen und in 2-4 cm Stücke schneiden.
2.Mit Meersalz und frisch geknackt Pfeffer bestreuen. Rollen sie die Gewürze ein wenig herum, so dass Sie das Fleisch gut beschichtet ist.
3.Erhitzen Sie eine Pfanne auf hoher Stufe und schmelzen 2 EL Kokosöl
4.Sobald die Pfanne brutzelt die Steak Bites hinzugeben und kochen für ca. 45 Sekunden auf jeder Seite, auf jeden Fall bis das Fleisch durch ist
5.Die Bites aus der Pfanne entnehmen und auf einen großen Teller servieren mit Zahnstochern.
6.Fügen Sie die restlichen 2 EL Kokosöl zu der restlichen Bratflüssigkeit in die Pfanne.
Zubereitungszeit: 10 Minuten

Leckerer Paleo Fladen

Zutaten
1 Ei
1 EL Kokosmehl
1/2 TL Backpulver
1 Prise Salz
1 Tl Bevorzugte Gewürzmittel
2 EL Mandelmilch / Kokosmilch
Kokosöl zum Grillen

Anleitung
1.Alle Zutaten in einer mittelgroßen Schüssel zusammen mischen, so dass keine Verklumpung entsteht.
2.Legen Sie den Teig für 5-10 Minuten in den Kühlschrank.
3.Inzwischen Kokosöl in der Pfanne schmelzen.
4. Teig auf die Pfanne geben wie für Pfannkuchen.
5.Für 3 Minuten auf jeder Seite backen.

Grünes Frühstücksomelette

Zutaten / 2 Portionen:

3 Eier

200 g Erbsen aus der Dose

200 g körniger Frischkäse

eine halbe Avocado

50 ml Milch

10 g frisches Basilikum

Salz und Pfeffer

Öl zum Anbraten

Zubereitung:

1. Im ersten Schritt die Milch gemeinsam mit dem Basilikum in einen Becher füllen und mit dem Mixer zu einer schaumigen Masse pürieren.

2. Danach die Erbsen durch ein Sieb gießen und 100 g der Erbsen zu der Basilikum-Milch in den Becher hinzufügen. Danach die Eier vermischen und zu der Masse hinzugeben. Mit Salz und Pfeffer nach individuellem Geschmack würzen und ein weiteres Mal pürieren.

3. Anschließend eine Pfanne mit Öl erhitzen. Die gequirlten Eier in die Pfanne füllen und braten. Danach wenden und braten.

4. Das Omelett auf einen Teller geben und mit Frischkäse garnieren. Eine halbe Avocado schneiden. Die Avocado und die Erbsen darauf verteilen.

5. Am Ende mit Salz und Pfeffer würzen. Kresse hinzufügen und servieren.

Marokkanische Eier mit Spinat

Zutaten für 2 Portionen

6 mittelgroße Tomaten

1 Esslöffel Ras el-Hanout (Gewürzmischung)

2 Teelöffel Olivenöl

2 mittelgroße Frühlingszwiebeln

200 g Baby-Spinat

2 mittelgroße Eier

20 g Feta

Etwas Koriander

Zubereitung

1. Den Ofen auf etwa 200 Grad aufheizen. Die Tomaten in Hälften teilen. Die Gewürzmischung mit dem halben Olivenöl vermischen und über die Tomaten gießen. Die Tomaten mit der Schnittseite nach oben auf ein Backblech legen und etwa zehn Minuten im Ofen backen.
2. Das restliche Olivenöl erwärmen. Die Frühlingszwiebeln in kleine Ringe aufschneiden, in den Topf hinzufügen und anbraten. Danach den Spinat hinzufügen und ständig rühren, solange bis dieser in sich zusammenfällt.

3. Die Spinatmischung in zwei Auflaufformen einfüllen und die Hälften der Tomaten am Rand verteilen. Eine Mulde produzieren und dort je ein Ei hineingeben. Den Feta zerbröseln und den Behälter für zehn bis zwölf Minuten bei einer Temperatur von 200 Grad im Ofen backen. Danach mit gehacktem Koriander servieren.

Herzhaftes Frühstücksgröstl

Zutaten für 4 Portionen

160 g Kichererbsenmehl, aus dem Bio- oder Asienladen

1 TL Kala Namak Salz wird aus indischen

8 EL Hafersahne, ersatzweise Reis-Sahneersatz

Salz und Pfeffer

1 EL neutrales Öl

1 Bund Schnittlauch

Zubereitung

1. Das Mehl der Kichererbsen in einer Schüssel mit dem Kala Namak vermischen. Einen halben Liter kaltes Wasser und die Hafersahne hinzufügen und glattrühren. Mit Salz und Pfeffer würzen.
2. In einer Pfanne etwas Öl erhitzen. Die Masse aus Kichererbsen hinzufügen und bei geringer Hitze am Boden der Pfanne etwa 15–30 Sekunden stocken lassen. Mit dem Pfannenwender in die Mitte der Pfanne schieben, die flüssige Mischung muss auf den Boden der Pfanne gelangen. Die Masse weiterhin braten, bis diese zur Gänze gestockt ist.
3. Die Masse dann mithilfe des Pfannenwenders in Stücke schneiden. Die Stückchen wenden und nach Geschmack leicht bräunen. Das Gröstl nach individuellem Geschmack mit Salz und Pfeffer würzen.

Den Schnittlauch säubern, trocknen und schneiden. Das Gröstl damit bestreuen.

Spinat-Tomaten-Frittata mit Eiern

Zutaten für 6 Portionen

12 Eier

500 g Kirschtomaten

200 g Spinat, tiefgefroren

2 Zwiebeln

200 g Ricotta

2 Handvoll Basilikum

2 EL Olivenöl

Salz und Pfeffer

Zubereitung

1.   Den eingefrorenen Spinat tauen lassen und die Flüssigkeit weggießen.

2.   Den Ofen auf eine Temperatur von 200 °C mit der Einstellung „Umluft" aufheizen. Die Form mit Butter vorfetten.

3.   Die zwölf Eier in eine Schüssel geben und vermischen. Nach individuellem Geschmack würzen. Das Basilikum pflücken.

4.   Die Zwiebeln von der Schale befreien, aufteilen und dann in nicht zu dicke Scheiben schneiden. Tomaten säubern und in Hälften zerschneiden.

5.	Pfanne mit Öl auf Temperatur bringen und die Zwiebeln für die Dauer von etwa vier Minuten braten. Danach die Tomaten hinzuzufügen und etwa eine Minute mit anschwitzen.

6.	Die Hitze herunter drehen und den Spinat hinzufügen. Für drei Minuten andünsten. Danach das Basilikum in die Pfanne hinzufügen und vermischen.

7.	Das Gemüse in die Form geben und den Ricotta Löffel für Löffel darauf verteilen.

8.	Anschließend die Eiermasse über das Gemüse verteilen und die Frittata etwa eine halbe Stunde im Ofen backen. Mit frischem Basilikum und den Hälften der Tomaten dekoriert anrichten.

Waschbrettbauch-Steak

Zutaten für 2 Portionen

340 g Rindfleisch / Steak

450 g Tomaten

50 g Ziegenkäse

60 g Champignons

1 Zehe Knoblauch

0.5 Brühwürfel

3 Esslöffel Olivenöl

1.5 Esslöffel Balsamico

12 Blatt Basilikum

0.5 TL Thymian

Salz und Pfeffer

Zubereitung

1. Der Ziegenkäse muss aus dem Kühlschrank genommen werden, er benötigt genügend Zeit, um das typische Aroma zu entfalten.

2. Die Tomaten säubern und in etwa einen halben Zentimeter dicke Scheiben aufschneiden. Sollten Cherry-Tomaten verwendet werden, empfiehlt es sich, diese zu halbieren. Den Ziegenkäse gleichfalls in einen halben Zentimeter dicke Scheiben schneiden und diese nochmals halbieren, damit die Stücke die richtige

Größe aufweisen. Die Tomaten auf einen Teller legen und nach individuellem Geschmack salzen und pfeffern. Die Blätter des Basilikums in Streifen schneiden und gemeinsam mit dem Ziegenkäse über die Tomaten drapieren.

3.   Die Champignons säubern, in einzelne Scheiben zerschneiden. Die Knoblauchzehe mit einer Presse zerdrücken oder möglichst fein zerhacken. Einen Esslöffel Öl bei mittlerer Temperatur erwärmen. Einen Behälter mit Wasser aufsetzen und einen Brühwürfel darin auflösen lassen.

4. Ist die Pfanne ausreichend heiß, die Steaks hinzugeben und für etwa zwei bis drei Minuten jede Seite ziemlich scharf anbraten. Inzwischen nach Geschmack mit Salz und Pfeffer entsprechend würzen. Die Steaks aus der Pfanne herausnehmen und auf dem Teller anrichten. Den Bratensaft nicht weggeben.

5.   Den Thymian und die Stücke des Knoblauchs dem Bratensaft hinzufügen und eine halbe Minute lang umrühren. Dabei löst sich die braune Kruste auf, welche die Steaks auf dem Pfannenboden hinterlassen haben.

6.   Die Scheiben der Champignons und etwa 100 Milliliter der Brühe hinzugeben. Die Pilze darin für ungefähr drei Minuten bissfest kochen, sie dürfen aber nicht ganz weich sein.

7.   Sind die Champignons dann weich genug, herausnehmen und auf die Steaks auflegen.

8. Den Essig und das übrige Öl über die Tomaten sowie den Käse ausgießen, mit Salz und Pfeffer nach Geschmack nachwürzen.

Putenbrust auf Ratatouille

Zutaten für 1 Portion

50 g Lauch

100 g Champignons

1/4 mittelgroße Paprika gelb

1 mittelgroße rote Zwiebel

5 mittelgroße Cherrytomaten

120 g Putenbrust

50 g Kürbis

1/2 Zehe Knoblauch

1 Esslöffel Rapsöl

100 ml Geflügelbrühe

Salz und Pfeffer

1 Zweig Thymian

1 Zweig Rosmarin

Zubereitung

1. Den Lauch, den Kürbis, die Paprika und die Zwiebel würfelig schneiden, den Chili und den Lauch ringförmig schneiden. Die Tomaten kann man entweder halbieren oder je nach Geschmack auch ganz lassen.

2. Die Putenbrust salzen und pfeffern und mit Paprika entsprechend würzen. Danach anbraten. Man kann das Filet ganz braten, aber man kann es auch in kleine Stücke zerschneiden.

3. Das Gemüse mit dem Lauch, der Zwiebel und dem Knoblauch dünsten, mit der Brühe löschen. Mit etwas Salz und Pfeffer, dem Thymian und dem Rosmarin abschmecken. Mit dem Filet in eine passende Form geben und alles bei 180 °C etwa 20 Minuten schmoren.

Peperonata-Tarte

Zutaten für 12 Stücke

Für den Teig
180 g Mehl

1 TL getrockneter Oregano

Pfeffer

100 g kalte Butter

1 Eigelb, Größe L

20 g geriebener Parmesan

1 TL frische Thymianblättchen

Salz

Für den Belag
1 gelbe Paprikaschote

2 rote Zwiebeln

1 Knoblauchzehe

2 EL Olivenöl

2 TL Thymianblättchen

Pfeffer

1 EL Kapern

3 Eier

150 g Ricotta

40 g geriebener Parmesan

Cayennepfeffer

100 g Schafskäse, Feta

1 rote Paprikaschote

Salz

Zubereitung

1.   Für den Teig das Mehl, die Kräuter, einen halben Teelöffel Salz und Pfeffer in eine Schüssel füllen. Butter in kleinen Stückchen hinzufügen und alles zu Bröseln reiben. Das Eigelb quirlen, den Parmesan dazugeben und alles zu einem glatten Teig verarbeiten. Diesen zwischen zwei aufgeschnittenen Gefrierbeuteln rund ausrollen. Die Backform damit auskleiden, rundherum einen Rand ausformen. Den Boden mehrere Male einstechen und in der Form etwa eine halbe Stunde in das Tiefkühlfach stellen.

2.   Währenddessen für den Belag die Paprikaschoten der Länge nach halbieren, säubern, waschen und in Streifen teilen. Die Zwiebeln von der Schale befreien, in Hälften teilen und in Spalten zerteilen. Den Knoblauch von der Schale befreien und in feine Scheiben zerteilen.

3.   In einer Pfanne etwas Öl auf Temperatur bringen, die Zwiebeln und den Paprika für etwa zehn Minuten anbraten. Den Knoblauch und den Thymian hinzufügen und kurz mit braten. Das Paprikagemüse ausgiebig mit Salz und Pfeffer würzen, dann abgedeckt bei geringer Hitze eine Viertelstunde lang weich dünsten. Die

Kapern daruntermischen und das Gemüse abkühlen lassen.

4. Den Backofen auf eine Temperatur von 200° C vorheizen. Den gefrorenen Boden auf mittlerer Schiene für eine Viertelstunde vorbacken. Die Eier, den Ricotta und den Parmesan glatt verrühren, den Guss mit etwas Salz und Cayennepfeffer abschmecken.

5. Den Teig entnehmen und etwa fünf Minuten abkühlen lassen. Die Backofentemperatur auf etwa 170° C reduzieren. Die Peperonata auf dem Teig verteilen. Den Schafskäse zerbröckeln und verteilen, den Eierguss darüber gießen. Die Tarte im Backofen auf mittlerer Schiene eine halbe Stunde backen. Nach Belieben mit Thymianblättchen und Chiliflocken dekorieren.

Kürbis-Tortilla

Zutaten für 4 Portionen

1 Butternusskürbis (800 g)

2 Zwiebeln

1 grüne Paprikaschote

0,5 Bünde Petersilie

4 EL Olivenöl

Salz und Pfeffer

8 Eier

150 ml Milch

100 g geriebener Manchego

edelsüßes Paprikapulver

Zubereitung

1. Den Kürbis säubern und der Länge nach in zwei Teile zerteilen. Die Kerne und die Fasern heraus schaben. Die Kürbishälften in Spalten zerschneiden und von der Schale befreien. Das Kürbisfleisch in ein Zentimeter große Würfel zerschneiden. Die Zwiebeln von der Schale befreien und fein würfeln. Die Paprikaschote in Viertel teilen, die Kerne entfernen und in Streifen zerschneiden. Petersilie waschen, trocken schütteln, Blätter abzupfen und hacken.

2. Den Backofen auf eine Temperatur von 180° vorheizen. Das Öl in einer beschichteten Pfanne (etwa 26 Zentimeter Durchmesser) auf eine geeignete Temperatur bringen. Die Kürbiswürfel unter gelegentlichem Wenden bei mittlerer bis starker Hitze etwa drei Minuten lang braten. Die Zwiebeln und die Paprika hinzufügen und fünf bis acht Minuten weiterbraten. Alles nach Geschmack individuell salzen und pfeffern.

3. Währenddessen die Eier, die Milch, den Käse und die Petersilie miteinander vermischen. Mit Salz, Pfeffer und dem Paprikapulver würzen. Die gemischte Milch über das Gemüse schütten und im heißen Ofen (auf mittlerer Ebene) etwa eine Viertelstunde stocken lassen.

4. Das Omelett kurz ruhen lassen. Auf eine Platte stürzen, in Stücke zerschneiden. Dazu passt grüner Salat.

Zucchini-Avocado-Pasta

Zutaten für 4 Portionen

Zucchini (1000 g)

3 Avocados

200 ml Reis-Sahneersatz

250 g Kirschtomaten

3 EL Olivenöl

1 EL Puderzucker

Salz und Pfeffer

2 kleine Knoblauchzehen

4 EL Zitronensaft

1 Bund Petersilie

Zubereitung

1. Die Zucchini waschen, putzen und mit dem Spiralschneider in spaghettiähnliche Streifen schneiden. Die Avocados halbieren und entsteinen. Das Fruchtfleisch mit einem Löffel aus der Schale herauslösen und mit dem Reis-Sahneersatz in einen hohen Rührbecher geben. Mit dem Stabmixer pürieren. Die Avocadosahne beiseitestellen.

2. Die Tomaten waschen und trocken tupfen. 1 EL Öl in einer Pfanne erhitzen. Die Tomaten hineingeben, mit Puderzucker bestreuen und bei großer Hitze

karamellisieren und aufplatzen lassen. Mit Salz sowie Pfeffer würzen und warmhalten.

3. Den Knoblauch schälen und fein würfeln. Das restliche Öl in einer großen Pfanne erhitzen und den Knoblauch darin hellgelb andünsten. Die Zucchinispaghetti hinzufügen und bei mittlerer Hitze ca. 5 Minuten unter Rühren mit dünsten. Die Avocadosahne unterrühren. Alles bei schwacher bis mittlerer Hitze unter Rühren 2–4 Minuten weiterdünsten. Mit Salz, Pfeffer und Zitronensaft abschmecken. Die Tomaten unterrühren.

4. Die Petersilie waschen und trocken schütteln. Die Blätter abzupfen, hacken und unter die Zucchini-Avocado-Pasta rühren. Die Pasta auf die Teller verteilen.

Griechische Gemüsefrittata

Zutaten für 4 Portionen

450 g Tiefkühlspinat

8 mittelgroße Eier

75 ml Milch

125 g Ziegenkäse

2 EL Pinienkerne

Salz und Pfeffer

Zubereitung

1.   Den Spinat auftauen und das Wasser ausdrücken. Backofen auf etwa 190 Grad aufheizen und eine passende Form gut einfetten.

2.   Die Eier mit der Milch vermischen. Den Ziegenkäse krümeln und mit den Pinienkernen, dem Spinat, dem Salz und dem Pfeffer hinzufügen.

3.   Etwa 25 Minuten in der Form backen, bis das Ei stockt. Dann in vier Portionen teilen.

Taboulé mit frischen Sprossen

Zutaten für 6 Portionen

1 Blumenkohl

1 kleine Salatgurke

2 Zwiebeln

20 g frische gekeimte Sprossen, z. B. Kohlsprossen

40 g Couscous, aus Hartweizengrieß

4 Zweige Minze

4 Zweige glatte Petersilie

1 Zitrone, Saft

3 EL Rapsöl

2 EL Haselnussöl

Pfeffer, aus der Mühle

Zubereitung

1. In einem Behälter den Saft der Zitronen mit Raps- und Haselnussöl und Pfeffer mischen.
2. Den Blumenkohl säubern, die Blumenkohlröschen wegschneiden und den Strunk wegschneiden. Die Blumenkohlröschen reiben, es sollten Körnchen entstehen. Die Gurke säubern, der Länge nach in zwei Hälften teilen und die Kerne ausschaben, danach in Würfel zerschneiden. Die Zwiebeln von der Schale befreien und zerhacken.

3. Den Blumenkohl, die Gurkenwürfel, die Zwiebeln, die Sprossen und den Couscous der Sauce hinzufügen, mischen und drei Stunden kühl stellen. Ab und zu verrühren. Vor dem Servieren würzen und die Kräuter unterheben.

Kartoffelplätzchen mit Petersilie

Zutaten für 12 Stück

1 Zweig Petersilie

0,5 Bünde Schnittlauch

250 g Zottarella Rolle Basilikum

750 g Kloßteig

1 EL Speisestärke

Butterschmalz, zum Braten

Zubereitung

1. Kräuter waschen, trocken schütteln, Petersilienblättchen abzupfen und hacken, Schnittlauch in Röllchen schneiden. Zottarella Rolle abtropfen lassen und in Würfel schneiden.
2. Kloßteig mit Speisestärke verkneten. Mit feuchten Händen 12 Klöße formen und Mulden eindrücken. 2–3 Zottarellawürfel in die Mulden geben und zu Plätzchen formen. In Butterschmalz bei mittlerer Temperatur von beiden Seiten ca. 10 Minuten goldgelb ausbacken. Herausnehmen, auf Küchenpapier abtropfen lassen und sofort servieren.

Schoko Zucchini Pfeilwurz Muffin

Zutaten:
6 Eier
½ Tasse Kokosnussöl, geschmolzen
½ Tasse Honig
2 Tassen überbackene Zucchini
2 ½ pures Vanille Extrakt
¾ Tassen Kokosnussmehl
2 Esslöffel Kokosnussmehl
¾ Pfeilwurz Stärke
½ Teelöffel Backpulver
½ Teelöffel Apfelcidre Essig
¾ Tassen gehackte dunkle Schokolade

Anleitung:
Heizen Sie den Ofen auf 200C vor
Mit einem elektrischen Mixer, verquirlen Sie alle
Zutaten außer die gehackte dunkle Schokolade
Wenn der Teig weich ist, falten Sie die gehackte dunkle
Schokolade und rühren Sie leicht für eine Minute.
Rühren Sie nicht zu viel
Löffeln Sie den Teig gleichmäßig in die Muffinschälchen
Backen Sie für ungefähr 30 Minuten oder, bis die
Muffins gekocht sind
Lassen Sie sie kühlen und genießen Sie sie.

Mandel Kuchen

Zutaten:
3 Esslöffel Mandelmehl
2 Esslöffel Mandelöl
1 Ei
½ Tassen pürierte süße Kartoffeln
1 Esslöffel Ahornsirup
1 Teelöffel Vanille Extrakt
½ Teelöffel Backpulver

Anleitung:
Vermischen Sie alle Zutaten in einer
mikrowellensichereren Form.
Backen Sie es in der Mikrowelle für 2 Minuten.

Bananenkuchen

Zutaten:

½ Tasse pürierte Banane

3 Esslöffel Mandelmehl

1 Esslöffel Kokosnusszucker

½ Teelöffel Vanilleextrakt

½ Teelöffel Zimtpulver

½ Teelöffel Backpulver

1 Esslöffel Kokosnussöl'

Eine Prise Salz

Anleitung:

Fügen Sie die pürierten Bananen und alle anderen Zutaten in einen mikrowellensicheren Becher.

Rühren Sie alles gut durch.

Backen Sie es in der Mikrowelle für 3 Minuten.

Ananas Frühstückskuchen mit Knusperzimt

Zutaten:

6 Eier

¼ Tasse pürierte Ananas

1 Teelöffel Vanilleextrakt

½ Tasse Mandelmilch

½ Tasse Kokosnussmehl

1 Teelöffel Backpulver

¼ Teelöffel Meersalz

1 Esslöffel Zimtpulver

Anleitung:

Heizen Sie den Ofen auf 200 C vor.

Mischen Sie die Eier und das ÖL in einer großen Schüssel zusammen.

Geben Sie den Teig in die gefettete Form.

Bestäuben Sie es mit Zimt.

Backen Sie 45 Minuten lang.

Avocado Smoothie

Zutaten:
200 ml Halbmagermilch
1 kleine Avocado
1 Tasse Wasserkresse
1 Tasse rote Beete
1 Tasse Brokkolispitzen
30 g Erdnüsse

Anleitung:
Brokkolispitzen schneiden.
Rote Beete würfeln.
Erdnüsse für 30 Sekunden mixen.
Restliche Zutaten hinzufügen und für weitere 20
Sekunden mixen.
Gleich servieren und genießen.

Chorizo Frühstück

Vorbereitungszeit: 10 Minuten
Garzeit: 15 Minuten
Portionen: 2
Zutaten:
- 1 kleine Avocado, geschält, entkernt und gehackt

- ½ Tasse Rinderbrühe

- 1 Pfund Chorizo, gehackt

- 2 gehackte Poblano- Paprika

- 1 Tasse Grünkohl, gehackt

- 8 gehackte Pilze

- ½ gelbe Zwiebel, gehackt

- 3 gehackte Knoblauchzehen

- ½ Tasse Koriander, gehackt

- 4 gehackte Speckscheiben

- 4 Eier

Richtungen:
1. Stellen Sie Ihren Instant-Topf auf den braunen Modus, fügen Sie Speck und Chorizo hinzu und kochen Sie einige Minuten lang.
2. Zwiebeln, Poblano- Paprika und Knoblauch dazugeben , umrühren und noch einige Minuten anbraten.

3. Brühe, Pilze und Grünkohl hinzufügen und umrühren.
4. Machen Sie Löcher in diese Mischung, knacken Sie jeweils ein Ei, decken Sie es ab und kochen Sie es 3 Minuten lang auf hoher Stufe
5. Diese Mischung auf Teller verteilen, Koriander und Avocado darüber streuen und zum Frühstück servieren.

genießen!

Ernährung: Kalorien 170, Fett 5, Ballaststoffe 3, Kohlenhydrate 6, Protein 6

Spezielle Frühstücksbutter

Vorbereitungszeit: 10 Minuten
Garzeit: 6 Minuten
Portionen: 12
Zutaten:

- 5 Tassen Blaubeerpüree

- 2 Teelöffel Zimtpulver

- Schale von 1 Zitrone

- 1 Tasse Kokosnusszucker

- ½ Teelöffel Muskatnuss, gemahlen

- ¼ Teelöffel Ingwer, gemahlen

Richtungen:
1. Geben Sie Blaubeerpüree in Ihren Instant-Topf, decken Sie es ab und kochen Sie es 3 Minuten lang auf hoher Stufe.
2. Kokosnusszucker, Ingwer, Muskatnuss und Zitronenschale hinzufügen, umrühren, abdecken und weitere 3 Minuten kochen lassen.
3. umrühren, in Gläser füllen, abdecken und zum Frühstück servieren.

genießen!

Ernährung: Kalorien 123, Fett 2, Ballaststoffe 3, Kohlenhydrate 3, Protein 4

Leckere Frühstückseier Und Sauce

Vorbereitungszeit: 10 Minuten
Garzeit: 12 Minuten
Portionen: 4
Zutaten:
• 2 gehackte Knoblauchzehen

• 1 Esslöffel Kokosöl

• 1 rote Paprika, gehackt

• 1 kleine gelbe Zwiebel, gehackt

• 1 Teelöffel Chilipulver

• ½ Teelöffel Kreuzkümmel, gemahlen

• ½ Teelöffel Paprika

• eine Prise Salz und schwarzen Pfeffer

• 1 ½ Tassen Paläo und zuckerfreie Marinara-Sauce

• eine Handvoll gehackte Petersilie

• 4 Eier
Richtungen:
1. Stellen Sie Ihren Instant-Topf auf den Bratmodus, geben Sie das Öl hinzu und erhitzen Sie es.
2. Zwiebel, Paprika, Knoblauch, Paprika, Kreuzkümmel und Chilipulver hinzufügen, umrühren und 5 Minuten anbraten.
3. Sauce hinzufügen, umrühren und weitere 1 Minute kochen lassen.

4. Eier in die Sauce geben, Topf abdecken und 1 Minute bei niedriger Temperatur kochen lassen.
5. Mit einer Prise Salz und schwarzem Pfeffer würzen, Petersilie darüber streuen, auf Teller verteilen und servieren.

genießen!

Ernährung: Kalorien 200, Fett 2, Ballaststoffe 1, Kohlenhydrate 3, Protein 7

Tolles Frühstück Mit Speck Und Süßkartoffeln

Vorbereitungszeit: 10 Minuten
Garzeit: 10 Minuten
Portionen: 4
Zutaten:

• 2 Pfund Süßkartoffeln, gewürfelt

• eine Prise Salz und schwarzen Pfeffer

• 3 Speckstreifen

• 2 Esslöffel Wasser

• 2 Teelöffel Petersilie, getrocknet

• 1 Teelöffel Knoblauchpulver

• 4 Eier, zum Servieren gebraten

Richtungen:
1. Mischen Sie in Ihrem Instant-Topf Süßkartoffeln mit Speck, Salz, Pfeffer, Wasser, Petersilie und Knoblauchpulver, rühren Sie sie um, decken Sie sie ab und kochen Sie sie 10 Minuten lang auf hoher Stufe.
2. Auf Teller neben Spiegeleiern verteilen und servieren.

genießen!

Ernährung: Kalorien 200, Fett 2, Ballaststoffe 2, Kohlenhydrate 6, Protein 8

Leckerer Frühstücksauflauf

Vorbereitungszeit: 10 Minuten
Garzeit: 30 Minuten
Portionen: 6

Zutaten:
- 1 und ⅓ Tassen Lauch, gehackt

- 2 Esslöffel Kokosöl

- 2 Teelöffel Knoblauch, gehackt

- 8 Eier
- 1 Tasse Grünkohl, gehackt

- ⅔ Tasse Süßkartoffel, gerieben

- 1 ½ Tassen Wurst, gekocht und in Scheiben geschnitten

- 1 und ½ Tassen Wasser

Richtungen:
1. Stellen Sie Ihren Instant-Topf auf den Bratmodus, geben Sie Öl hinzu und erhitzen Sie ihn.
2. Grünkohl, Lauch und Knoblauch hinzufügen, umrühren, 3 Minuten kochen lassen, in eine Schüssel geben und den Topf reinigen.
3. In einer Schüssel Eier mit Wurst, sautiertem Gemüse und Süßkartoffeln mischen, gut verquirlen und in eine hitzebeständige Schüssel geben.

4. Geben Sie das Wasser in Ihren Instant-Topf, geben Sie den Dampfkorb hinzu, stellen Sie das Gericht mit der Eiermischung hinein, decken Sie es ab und kochen Sie es 25 Minuten lang manuell.
5. auf Teller verteilen und zum Frühstück servieren.

genießen!

Ernährung: Kalorien 254, Fett 4, Ballaststoffe 1, Kohlenhydrate 4, Protein 20

Auberginen Frühstücksaufstrich

Vorbereitungszeit: 5 Minuten
Garzeit: 10 Minuten
Portionen: 6
Zutaten:

- 4 Esslöffel Olivenöl

- 2 Pfund Auberginen, geschält und grob gehackt

- 4 gehackte Knoblauchzehen

- eine Prise Salz und schwarzen Pfeffer

- 1 Tasse Wasser

- ¼ Tasse Zitronensaft

- 1 Esslöffel Sesampaste

- ¼ Tasse schwarze Oliven, entkernt

- ein paar Zweige Thymian, gehackt

- ein Spritzer Olivenöl

Richtungen:

1. Stellen Sie Ihren Instant-Topf auf den Bratmodus, fügen Sie Öl hinzu, erhitzen Sie ihn, fügen Sie Auberginenstücke hinzu, rühren Sie ihn um und braten Sie ihn 5 Minuten lang an

2. Knoblauch, Salz, Pfeffer und Wasser hinzufügen, vorsichtig umrühren, abdecken und 5 Minuten auf hoher Stufe kochen lassen.

3. Überschüssiges Wasser verwerfen, Sesampaste, Zitronensaft und Oliven hinzufügen und mit einem Stabmixer mischen.

4. In eine Schüssel geben, gehackten Thymian darüber streuen, etwas Öl beträufeln und für ein schickes Frühstück servieren.

genießen!

Ernährung: Kalorien 163, Fett 2, Ballaststoffe 1, Kohlenhydrate 5, Protein 7

Original Obst Dessert

Vorbereitungszeit: 10 Minuten
Garzeit: 10 Minuten
Portionen: 10

Zutaten:
- 3 Tassen Ananasstücke in Dosen, abgetropft

- 3 Tassen Kirschen in Dosen, abgetropft

- 2 Tassen Aprikosen in Dosen, halbiert und abgetropft

- 2 Tassen Pfirsichscheiben in Dosen, abgetropft

- 3 Tassen natürliches Apfelmus

- 2 Tassen Mandarinen in Dosen, abgetropft

- 2 Esslöffel Stevia

- 1 Teelöffel Zimtpulver

Richtungen:
1. Geben Sie Ananas, Kirschen, Aprikosen, Pfirsiche, Apfelmus, Orangen, Zimt und Stevia in Ihren Instant-Topf, decken Sie ihn ab und kochen Sie ihn 10 Minuten lang auf hoher Stufe.
2. In kleine Schüsseln teilen und kalt servieren.

genießen!

Ernährung: Kalorien 120, Fett 1, Ballaststoffe 2, Kohlenhydrate 3, Protein 2

Preiselbeermarmelade

Vorbereitungszeit: 10 Minuten
Garzeit: 15 Minuten
Portionen: 12
Zutaten:

• 16 Unzen Preiselbeeren

• 4 Unzen Rosinen

• 3 Unzen Wasser + ¼ Tasse Wasser

• 8 Unzen Feigen

• 16 Unzen Erdbeeren, gehackt

• Schale von 1 Zitrone

Richtungen:

1. Feigen in den Mixer geben, ¼ Tasse Wasser hinzufügen, gut pulsieren lassen und in eine Schüssel geben.

2. Mischen Sie in Ihrem Instant-Topf Erdbeeren mit Preiselbeeren, Zitronenschale, Rosinen, 3 Unzen Wasser und Feigenpüree, rühren Sie um, decken Sie den Topf ab, kochen Sie ihn 15 Minuten lang auf hoher Stufe, teilen Sie ihn in kleine Gläser und servieren Sie ihn.

Ernährung: Kalorien 73, Fett 1, Ballaststoffe 1, Kohlenhydrate 2, Protein 3

Beerenmarmelade

Vorbereitungszeit: 10 Minuten
Garzeit: 20 Minuten
Portionen: 12

Zutaten:
• 1 Pfund Preiselbeeren

• 1 Pfund Erdbeeren

• ½ Pfund Blaubeeren

• 3,5 Unzen schwarze Johannisbeere

• 4 Esslöffel Stevia

• Schale von 1 Zitrone

• eine Prise Salz

• 2 Esslöffel Wasser

Richtungen:
1. Mischen Sie in Ihrem Instant-Topf Erdbeeren mit Preiselbeeren, Blaubeeren, Johannisbeeren, Zitronenschale, Stevia und Wasser, rühren Sie um, decken Sie sie ab und kochen Sie sie 10 Minuten lang auf hoher Stufe.
2. In Gläser teilen und kalt servieren.

genießen!

Ernährung: Kalorien 87, Fett 2, Ballaststoffe 0, Kohlenhydrate 1, Protein 2

Spezieller Pudding

Vorbereitungszeit: 15 Minuten
Garzeit: 20 Minuten
Portionen: 8

Zutaten:
- 2 Tassen Wasser

- 1 Ei
- 1 und ¼ Tasse Datteln, gehackt

- ¼ Tasse Melasse mit schwarzen Bändern

- ¾ Tasse heißes Wasser

- 1 Teelöffel Backpulver

- 1 und ¼ Tasse Kokosmehl

- 2 Esslöffel Stevia

- ⅓ Tasse Ghee, geschmolzen

- 1 Teelöffel Vanilleextrakt

Richtungen:
1. In einer Schüssel Datteln mit heißem Wasser und Melasse mischen und umrühren.
2. In einer anderen Schüssel Backpulver mit Mehl mischen und umrühren.
3. In einer dritten Schüssel Stevia mit Ghee, Ei und Vanille mischen und umrühren

4. Mehl- und Dattelmischungen zu dieser Mischung hinzufügen, erneut umrühren und in 8 kleine und gefettete Auflaufförmchen teilen.

5. Geben Sie das Wasser in Ihren Instant-Topf, fügen Sie den Dampfkorb hinzu, fügen Sie Auflaufförmchen hinzu, decken Sie ihn ab und kochen Sie ihn 20 Minuten lang auf niedriger Stufe.

6. Servieren Sie sie warm.

genießen!

Ernährung: Kalorien 174, Fett 1, Ballaststoffe 3, Kohlenhydrate 6, Protein 7

Einfaches Und Leckeres Kompott

Vorbereitungszeit: 10 Minuten
Garzeit: 3 Minuten
Portionen: 6
Zutaten:

- 8 Pfirsiche, Steine entfernt und gehackt

- ½ Tasse Wasser

- 4 Esslöffel Stevia

- 1 Teelöffel Zimtpulver

- 1 Vanilleschote, abgekratzt

- 1 Teelöffel Vanilleextrakt

Richtungen:
3. Geben Sie die Pfirsiche in Ihren Instant-Topf, fügen Sie Stevia, Wasser, Vanilleschote, Vanilleextrakt und Zimt hinzu, rühren Sie sie um, decken Sie sie ab und kochen Sie sie 3 Minuten lang auf hoher Stufe.
4. in Schalen teilen und servieren.

genießen!

Ernährung: Kalorien 100, Fett 2, Ballaststoffe 1, Kohlenhydrate 2, Protein 3, Protein 3

Tolles Birnen-Dessert

Vorbereitungszeit: 10 Minuten
Garzeit: 10 Minuten
Portionen: 4
Zutaten:

- 4 Birnen
- Schale und Saft von 1 Zitrone
- 26 Unzen natürlicher Traubensaft
- 11 Unzen Natur- und Paläo- Johannisbeergelee
- 4 Nelken
- ½ Vanilleschote
- 4 Pfefferkörner
- 2 Rosmarinzweige

Richtungen:
1. Johannisbeergelee in den Instant-Topf geben, Traubensaft, Orangenschale und Saft, Nelken, Pfefferkörner, Rosmarin und Vanilleschote hinzufügen und gut umrühren.
2. Tauchen Sie Birnen in diese Mischung und wickeln Sie sie in Alufolie.
3. Stellen Sie den Dampfkorb in den Topf, geben Sie eingewickelte Birnen hinein, decken Sie ihn ab und kochen Sie ihn 10 Minuten lang auf hoher Stufe.
4. Birnen auspacken, auf Teller verteilen, überall Säfte aus dem Topf träufeln und servieren.

genießen!

Ernährung: Kalorien 182, Fett 3, Ballaststoffe 1, Kohlenhydrate 2, Protein 3

Blumenkohl Und Lauch

Vorbereitungszeit: 10 Minuten
Garzeit: 8 Minuten
Portionen: 4
Zutaten:
- 1 ½ Tassen Lauch, gehackt

- 1 ½ Tassen Blumenkohlröschen

- 1 ½ Tassen Artischocken

- 1 Tasse Wasser

- 2 gehackte Knoblauchzehen

- 2 Esslöffel Olivenöl

- schwarzer Pfeffer nach Geschmack

Richtungen:
1. Stellen Sie Ihren Instant-Topf auf den Bratmodus, fügen Sie das Öl hinzu, erhitzen Sie es, fügen Sie Knoblauch hinzu, rühren Sie um und braten Sie es 1 Minute lang an.
2. Lauch, Blumenkohl, Artischocken und Wasser hinzufügen, umrühren, abdecken und 7 Minuten auf hoher Stufe kochen lassen.
3. Auf Teller verteilen, etwas schwarzen Pfeffer darüber streuen und als Beilage servieren.

genießen!

Ernährung: Kalorien 110, Fett 2, Ballaststoffe 2, Kohlenhydrate 6, Protein 3

Französische Endivienbeilage

Vorbereitungszeit: 10 Minuten
Garzeit: 7 Minuten
Portionen: 4

Zutaten:
• 4 Endivien, zugeschnitten und halbiert

• 1 Esslöffel Ghee

• ½ Tasse Wasser

• eine Prise Meersalz und schwarzer Pfeffer

• 1 Esslöffel Zitronensaft

Richtungen:
1. Stellen Sie Ihren Instant-Topf auf den Sauté-Modus, fügen Sie Ghee hinzu, erhitzen Sie ihn, fügen Sie Endivien, Wasser, Salz, Pfeffer und Zitronensaft hinzu, werfen Sie ihn zu, decken Sie ihn ab und kochen Sie ihn 7 Minuten lang auf hoher Stufe.
2. Endivien auf Teller verteilen, Kochsäfte darüber träufeln und als Beilage servieren.

genießen!

Ernährung: Kalorien 73, Fett 2, Ballaststoffe 1, Kohlenhydrate 1, Protein 3

Tomatensalat

Vorbereitungszeit: 10 Minuten
Garzeit: 20 Minuten
Portionen: 6

Zutaten:
• 2 und ½ Tassen Wasser

• 8 kleine Rüben, geschnitten

• 1 Pint farbige Kirschtomaten, halbiert

• 1 rote Zwiebel, in Scheiben geschnitten

• 1 Tasse Balsamico-Essig

• 1 Esslöffel Stevia

• eine Prise Salz und schwarzen Pfeffer

• 2 Esslöffel Olivenöl

• 2 Unzen Pekannüsse

Richtungen:
1. Geben Sie 1 ½ Tassen Wasser in Ihren Instant-Topf, fügen Sie den Dampfkorb hinzu, fügen Sie Rüben hinzu, decken Sie ihn ab und kochen Sie ihn 17 Minuten lang auf hoher Stufe.
2. Rüben abkühlen lassen, schälen, in mittelgroße Würfel schneiden, in eine Schüssel geben, mit Tomaten und Zwiebeln mischen, werfen und beiseite stellen.

3. Reinigen Sie den Instant-Topf, stellen Sie ihn in den Kochmodus, geben Sie 1 Tasse Wasser, Essig, Stevia, eine Prise Salz und Pfeffer hinzu, rühren Sie um und kochen Sie ihn 2 Minuten lang.
4. In einer Schüssel 4 Esslöffel Essig mit dem Öl mischen, gut verquirlen, zum Tomatensalat geben und verrühren.
5. Pekannüsse darüber streuen, zum Überziehen werfen, auf Teller verteilen und als Beilage servieren.

genießen!

Ernährung: Kalorien 152, Fett 3, Ballaststoffe 3, Kohlenhydrate 6, Protein 8

Karottenpüree

Vorbereitungszeit: 5 Minuten
Garzeit: 5 Minuten
Portionen: 4

Zutaten:
- 1 und ½ Pfund Karotten, gehackt

- eine Prise Salz und weißer Pfeffer

- 1 Esslöffel Ghee, geschmolzen

- 1 Teelöffel Stevia

- 1 Tasse Wasser

- 1 Esslöffel Honig

Richtungen:
1. Karotten in den Instant-Topf geben, Wasser hinzufügen, abdecken, 4 Minuten auf hoher Stufe kochen, abtropfen lassen, in eine Schüssel geben und mit einem Stabmixer zerdrücken.
2. Ghee, Honig, eine Prise Salz, Pfeffer und Stevia hinzufügen, erneut mischen, auf Teller verteilen und servieren.

genießen!

Ernährung: Kalorien 73, Fett 2, Ballaststoffe 2, Kohlenhydrate 4, Protein 6

Wunderbare Und Besondere Beilage

Vorbereitungszeit: 10 Minuten
Garzeit: 20 Minuten
Portionen: 12
Zutaten:
• 42 Unzen Gemüsebrühe

• 1 Tasse Karotte, zerkleinert

• 2 ½ Tassen Blumenkohlreis

• 2 Esslöffel Olivenöl

• 2 Teelöffel Majoran, getrocknet

• 4 Unzen Pilze, in Scheiben geschnitten

• eine Prise Meersalz und schwarzer Pfeffer

• ⅔ Tasse Kirschen, getrocknet

• ½ Tasse Pekannüsse, gehackt

• ⅔ Tasse Frühlingszwiebeln, gehackt

Richtungen:
1. Geben Sie die Brühe in Ihren Instant-Topf, fügen Sie Blumenkohlreis, Karotten, Pilze, Öl, Salz, Pfeffer und Majoran hinzu, rühren Sie sie um, decken Sie sie ab und kochen Sie sie 12 Minuten lang auf hoher Stufe.
2. Kirschen und Frühlingszwiebeln hinzufügen, umrühren, abdecken und weitere 5 Minuten kochen lassen.

3. Auf Teller verteilen und als Beilage mit gehackten Pekannüssen servieren.

genießen!

Ernährung: Kalorien 130, Fett 2, Ballaststoffe 3, Kohlenhydrate 4, Protein 6

Rosenkohl Freude

Vorbereitungszeit: 10 Minuten

Garzeit: 8 Minuten

Portionen: 4

Zutaten:

- 2 Esslöffel Olivenöl

- 2 gehackte Knoblauchzehen

- 2 Esslöffel Kokosaminos

- 1 und ½ Pfund Rosenkohl, halbiert

- 2 Unzen Wasser

- 1 ½ Teelöffel weißer Pfeffer

Richtungen:

1. setzen Sie das Öl in Ihrem Instant Topf geben , mit Knoblauch, Rosenkohl, aminos , Wasser und weißen Pfeffer, rührt, Deckel und Koch auf Höhe für 8 Minuten.

2. Auf Teller verteilen und als Beilage servieren.

genießen!

Ernährung: Kalorien 162, Fett 2, Ballaststoffe 1, Kohlenhydrate 2, Protein 5

Radieschensnack

Vorbereitungszeit: 10 Minuten
Garzeit: 12 Minuten
Portionen: 2
Zutaten:
- 2 Tassen Radieschen, vierteln

- eine Prise Salz und schwarzen Pfeffer

- 2 Esslöffel Olivenöl

- 1 Esslöffel Schnittlauch, gehackt

- ½ Tasse Wasser

- 1 Esslöffel Zitronenschale

Richtungen:
1. Radieschen in einer Schüssel mit Salz, Pfeffer, Schnittlauch, Zitronenschale und Öl mischen und zum Überziehen werfen.
2. Geben Sie das Wasser in Ihren Instant-Topf, fügen Sie den Dampfkorb hinzu, fügen Sie Radieschen hinzu, decken Sie ihn ab und kochen Sie ihn 12 Minuten lang auf hoher Stufe.
3. In Schüsseln geben und kalt als Snack servieren.

genießen!

Ernährung: Kalorien 122, Fett 12, Ballaststoffe 1, Kohlenhydrate 3, Protein 14

Blumenkohl Dip

Vorbereitungszeit: 10 Minuten

Garzeit: 6 Minuten

Portionen: 14

Zutaten:

• 1 ½ Tassen Gemüsebrühe

• 1 Blumenkohlkopf, Blütchen getrennt

• ¼ Tasse Paläo- Mayonnaise

• ½ Tasse gelbe Zwiebel, gehackt

• ¾ Tasse Cashewkäse

• ½ Teelöffel Knoblauchpulver

• ½ Teelöffel Chilipulver

• ½ Teelöffel Kreuzkümmel, gemahlen

• schwarzer Pfeffer nach Geschmack

Richtungen:

1. Geben Sie die Brühe in Ihren Instant-Topf, fügen Sie Zwiebel, Blumenkohl, schwarzen Pfeffer, Chilipulver, Kreuzkümmel und Knoblauchpulver hinzu, rühren Sie sie um, decken Sie sie ab und kochen Sie sie 6 Minuten lang auf hoher Stufe.

2. Cashewkäse dazugeben, umrühren und etwas abkühlen lassen.

3. Mayo hinzufügen, mit einem Stabmixer mischen, in Schalen teilen und im Kühlschrank aufbewahren, bis

Sie ihn mit vegetarischen Streichhölzern an der Seite servieren.

genießen!

Ernährung: Kalorien 60, Fett 1, Ballaststoffe 1, Kohlenhydrate 1, Protein 2

Spezieller Spinat-Vorspeisensalat

Vorbereitungszeit: 10 Minuten

Garzeit: 20 Minuten

Portionen: 4

Zutaten:

- 2 rote Zwiebeln, in mittlere Stücke geschnitten

- 1 Butternusskürbis, in mittlere Keile schneiden

- 1 Tasse Wasser

- 6 Tassen Spinat

- 4 Pastinaken, grob gehackt

- eine Prise schwarzer Pfeffer

- 2 Esslöffel Balsamico-Essig

- ⅓ Tasse Nüsse, geröstet

- 1 Teelöffel Dijon- Senf

- ½ Esslöffel Oregano, getrocknet

- 1 gehackte Knoblauchzehe

- 6 Esslöffel Olivenöl

Richtungen:

1. In einer Schüssel den Kürbis mit Zwiebeln, Pastinaken, der Hälfte des Öls, Oregano und einer Prise schwarzem Pfeffer mischen und gut verrühren.

2. Geben Sie das Wasser in Ihren Instant-Topf, fügen Sie den Dampfkorb hinzu, fügen Sie Gemüse hinzu,

decken Sie es ab und kochen Sie es 12 Minuten lang auf hoher Stufe.

3. In einer Schüssel Essig mit dem Rest des Öls, Knoblauch, Senf und Pfeffer nach Geschmack mischen und sehr gut verquirlen.

4. Spinat in eine Salatschüssel geben, geröstetes Gemüse hinzufügen, Dressing hinzufügen, Nüsse darüber streuen, zum Überziehen werfen, auf Vorspeisenteller verteilen und servieren.

genießen!

Ernährung: Kalorien 131, Fett 1, Ballaststoffe 2, Kohlenhydrate 3, Protein 4

Spezielle Garnelen Vorspeise

Vorbereitungszeit: 5 Minuten
Garzeit: 4 Minuten
Portionen: 4

Zutaten:
• 2 Esslöffel Kokosaminos

• 1 Pfund Garnelen, geschält und entdarmt

• 1 Tasse Hühnerbrühe

• 3 Esslöffel Stevia

• 3 Esslöffel Balsamico-Essig

• ¾ Tasse Ananassaft

Richtungen:
1. Mischen Sie in Ihrem Instant-Topf Garnelen mit Aminosäuren , Brühe, Essig, Ananassaft und Stevia, rühren Sie alles gut um, decken Sie den Topf ab und kochen Sie ihn 4 Minuten lang auf hoher Stufe .
2. in Schalen teilen und als Vorspeise dienen.

genießen!

Ernährung: Kalorien 132, Fett 2, Ballaststoffe 2, Kohlenhydrate 3, Protein 5

Süßkartoffelaufstrich

Vorbereitungszeit: 10 Minuten
Garzeit: 12 Minuten
Portionen: 6
Zutaten:

- 2 Tassen Süßkartoffeln, geschält und gehackt

- ¼ Tasse Sesampaste

- 2 Esslöffel Zitronensaft

- 5 gehackte Knoblauchzehen

- 1 Esslöffel Olivenöl

- ½ Teelöffel Kreuzkümmel, gemahlen

- 2 Tassen Wasser + 2 Esslöffel Wasser

- eine Prise Salz

Richtungen:

1. Geben Sie 2 Tassen Wasser in Ihren Instant-Topf, fügen Sie den Dampfkorb hinzu, fügen Sie Kartoffeln hinzu, decken Sie ihn ab und kochen Sie ihn 12 Minuten lang auf hoher Stufe.
2. Übertragen Sie Kartoffeln in Ihre Küchenmaschine, fügen Sie 2 Esslöffel Wasser, Sesampaste, Zitronensaft, Knoblauch, Öl, Kreuzkümmel und eine Prise Salz hinzu und pulsieren Sie sehr gut.
3. in Schalen teilen und als Vorspeise dienen.

genießen!

Ernährung: Kalorien 130, Fett 3, Ballaststoffe 1, Kohlenhydrate 4, Protein 7

Hühnchen Vorspeise

Vorbereitungszeit: 10 Minuten
Garzeit: 15 Minuten
Portionen: 6
Zutaten:
- 2 Esslöffel Knoblauch, gehackt

- 3 Pfund Hühnerflügel

- 3 Esslöffel Kokosaminos

- 2 und ¼ Tasse Ananassaft

- 1 Teelöffel Olivenöl

- 2 Esslöffel Mandelmehl

- 1 Esslöffel Ingwer, gerieben

- eine Prise Meersalz

- eine Prise rote Pfefferflocken, zerkleinert

- 2 Esslöffel 5 Gewürzpulver

- Sesam, zum Servieren geröstet

Richtungen:
1. 2 Tassen Ananassaft in Ihren Instant-Topf geben, Öl, eine Prise Salz, Kokos- Aminosäuren , Ingwer und Knoblauch hinzufügen und gut verquirlen .
2. Mischen Sie in einer Schüssel Mandelmehl mit dem Rest des Ananassafts, verquirlen Sie es und geben Sie es in Ihren Instant-Topf.

3. Hühnerflügel, eine Prise Paprikaflocken und 5 Gewürze hinzufügen, umrühren, abdecken und 15 Minuten auf hoher Stufe kochen lassen.
4. Hähnchenflügel auf eine Platte geben, Sesam darüber streuen und als Vorspeise mit den Säften aus dem Topf auf der Seite servieren

genießen!

Ernährung: Kalorien 200, Fett 4, Ballaststoffe 3, Kohlenhydrate 4, Protein 12

Einfaches Artischockengericht

Vorbereitungszeit: 30 Minuten
Garzeit: 10 Minuten
Portionen: 4

Zutaten:
- 4 große Artischocken, gewaschen und geschnitten
- 2 Tassen Wasser
- eine Prise Meersalz und schwarzer Pfeffer
- 2 Esslöffel Zitronensaft
- ¼ Tasse Olivenöl
- 2 Teelöffel Balsamico-Essig
- 1 Teelöffel Oregano, getrocknet
- 2 gehackte Knoblauchzehen

Richtungen:
1. Geben Sie 2 Tassen Wasser in Ihren Instant-Topf, fügen Sie den Dampfkorb hinzu, fügen Sie Artischocken hinzu, decken Sie ihn ab und kochen Sie ihn 10 Minuten lang auf hoher Stufe.
2. In einer Schüssel Zitronensaft mit Essig, Öl, Salz, Pfeffer, Knoblauch und Oregano mischen und gut verquirlen.
3. Artischocken auf Teller verteilen, das Essigdressing darüber träufeln und vor dem Servieren 30 Minuten ruhen lassen.

genießen!

Ernährung: Kalorien 132, Fett 2, Ballaststoffe 1, Kohlenhydrate 2, Protein 5

Tomateneintopf

Vorbereitungszeit: 10 Minuten
Garzeit: 10 Minuten
Portionen: 4

Zutaten:
• 1 Esslöffel Olivenöl

• 2 gehackte Knoblauchzehen

• 1 Pfund grüne Bohnen

• eine Prise Meersalz

• 14 Unzen Tomatenkonserven, gehackt

• 1 Esslöffel Basilikum, gehackt

Richtungen:
1. Stellen Sie den Instant-Topf auf den Bratmodus, fügen Sie Öl hinzu, erhitzen Sie ihn, fügen Sie Knoblauch hinzu, rühren Sie um und kochen Sie ihn 2 Minuten lang.
2. Tomaten, grüne Bohnen und Salz hinzufügen, Topf abdecken und 5 Minuten auf hoher Stufe kochen lassen.
1. Basilikum bestreuen, werfen, auf Teller verteilen und servieren.

genießen!

Ernährung: Kalorien 60, Fett 3, Ballaststoffe 1, Kohlenhydrate 3, Protein 6

Rindfleischsuppe

Vorbereitungszeit: 10 Minuten
Garzeit: 15 Minuten
Portionen: 6
Zutaten:

- 1 Pfund Rindfleisch, gemahlen

- 3 gehackte Knoblauchzehen

- 1 gelbe Zwiebel, gehackt

- 1 Esslöffel Olivenöl

- 1 Sellerierippe, gehackt

- 28 Unzen Rinderbrühe

- 14 Unzen Tomatenkonserven, zerkleinert

- 12 Unzen Tomatensaft

- 1 Süßkartoffel, geschält und gewürfelt

- Salz und schwarzer Pfeffer nach Geschmack

- 2 Karotten, in Scheiben geschnitten

Richtungen:

1. Stellen Sie Ihren Instant-Topf auf den Bratmodus, fügen Sie Rindfleisch hinzu, rühren Sie um, bräunen Sie ihn an und geben Sie ihn auf einen Teller.
2. Das Öl in den Topf geben, erhitzen, Sellerie, Knoblauch und Zwiebel hinzufügen, umrühren und 6 Minuten anbraten.

3. Tomatensaft, Brühe, Tomaten, Karotten, Kartoffeln, Rindfleisch, Salz und Pfeffer hinzufügen, umrühren, abdecken, 5 Minuten auf hoher Stufe kochen, in Schalen schöpfen und servieren.

genießen!

Ernährung: Kalorien 212, Fett 2, Ballaststoffe 3, Kohlenhydrate 6, Protein 3

Süßer Kartoffelsalat

Vorbereitungszeit: 10 Minuten
Garzeit: 10 Minuten
Portionen: 6

Zutaten:
- 1 gelbe Zwiebel, gehackt

- 6 Süßkartoffeln

- 1 Selleriestiel, gehackt

- 1 Tasse Wasser

- eine Prise Salz und schwarzen Pfeffer

- 3 Teelöffel Dill, gehackt

- 1 Teelöffel Senf

- 1 Teelöffel Apfelessig

- 3 Unzen Paläo- Mayonnaise

Richtungen:
1. Geben Sie die Kartoffeln in Ihren Instant-Topf, geben Sie das Wasser hinzu, decken Sie sie ab und kochen Sie sie 3 Minuten lang auf hoher Stufe.
2. Kartoffeln abkühlen lassen, schälen, hacken und in eine Salatschüssel geben.
3. Zwiebel, Sellerie, Salz, Pfeffer und Dill hinzufügen und werfen.
4. In einer kleinen Schüssel Mayo mit Essig und Senf mischen und gut verquirlen.

5. fügen Sie dieses dem Salat hinzu, werfen Sie, um zu beschichten und zu dienen.

genießen!

Ernährung: Kalorien 140, Fett 2, Ballaststoffe 1 Kohlenhydrate 2, Protein 4

Schnelle Muscheln

Vorbereitungszeit: 5 Minuten
Garzeit: 5 Minuten
Portionen: 4

Zutaten:
- 1 gelbe Zwiebel, gehackt

- 1 Radicchio, gehackt

- 2 Pfund Muscheln, geschrubbt und entbeint

- 1 Pfund Babyspinat

- 1 gehackte Knoblauchzehe

- 1 Tasse Wasser

- ein Spritzer Olivenöl

- eine Prise Meersalz und schwarzer Pfeffer

Richtungen:
1. Stellen Sie Ihren Instant-Topf auf den Bratmodus, fügen Sie das Öl hinzu, erhitzen Sie es, fügen Sie Zwiebel und Knoblauch hinzu, rühren Sie um und braten Sie sie 2 Minuten lang an.
2. Wasser, Salz und Pfeffer hinzufügen, umrühren, den Dampfkorb hinzufügen, Muscheln hineinlegen, abdecken und 3 Minuten auf hoher Stufe kochen lassen

3. Spinat und Radicchio auf einer Platte anrichten, Muscheln hinzufügen, die Säfte aus dem Topf träufeln und servieren.

genießen!

Ernährung: Kalorien 192, Fett 2, Ballaststoffe 1, Kohlenhydrate 2, Protein 3

Cremige Karottensuppe

Vorbereitungszeit: 10 Minuten
Garzeit: 15 Minuten
Portionen: 4
Zutaten:
- 1 Esslöffel Olivenöl

- 1 gelbe Zwiebel, gehackt

- 1 Esslöffel Ghee

- 1 gehackte Knoblauchzehe

- 1 Pfund Karotten, gehackt

- 1 Zoll Ingwerstück, gerieben

- eine Prise Meersalz und schwarzer Pfeffer

- ¼ Teelöffel Stevia

- 2 Tassen Hühnerbrühe

- 14 Unzen Kokosmilch in Dosen

- eine Handvoll gehackter Koriander

Richtungen:
1. Stellen Sie Ihren Instant-Topf auf den Bratmodus, fügen Sie Ghee und Öl hinzu, erhitzen Sie ihn, fügen Sie Zwiebel, Knoblauch und Ingwer hinzu, rühren Sie ihn an und braten Sie ihn 4 Minuten lang an.
2. Karotten, Stevia, Salz und Pfeffer hinzufügen, umrühren und weitere 2 Minuten kochen.

3. Kokosmilch und Brühe hinzufügen, umrühren, abdecken und 6 Minuten bei hoher Temperatur kochen.
4. Suppe mit einem Stabmixer mischen , Koriander hinzufügen, vorsichtig umrühren, in Schalen schöpfen und servieren.

genießen!

Ernährung: Kalorien 84, Fett 2, Ballaststoffe 3, Kohlenhydrate 8, Protein 9

Hühnereintopf

Vorbereitungszeit: 10 Minuten
Garzeit: 20 Minuten
Portionen: 4

Zutaten:
- 3 Süßkartoffeln, gewürfelt

- 1 gelbe Zwiebel, in mittlere Stücke schneiden

- 1 ganzes Huhn, in 8 Stücke geschnitten

- 2 Lorbeerblätter

- 1 Tasse Wasser

- 4 Tomaten, in mittlere Stücke geschnitten

- eine Prise Meersalz und Pfeffer

Richtungen:
1. Geben Sie Hühnchenstücke in Ihren Instant-Topf, fügen Sie Süßkartoffeln, Zwiebeln, Tomaten, Lorbeerblätter, Wasser, Salz und Pfeffer hinzu, rühren Sie sie um, decken Sie sie ab und kochen Sie sie 20 Minuten lang auf hoher Stufe.
2. auf Teller verteilen und heiß servieren.

genießen!

Ernährung: Kalorien 200, Fett 2, Ballaststoffe 1, Kohlenhydrate 5, Protein 8

Gemischte Früchteriegel

Zutaten:
4 Eier
¼ Tassen Honig
2 Esslöffel Kokosöl
1 Teelöffel Vanille Extrakt
½ Tasse Kokosmehl
½ Teelöffel Backpulver
½ Teelöffel Salz
¼ Tasse Apfelmus
½ Tasse gewürfelter Pfirsich
½ Tasse gewürfelter Apfel
½ Tasse gewürfelte Feige
¼ Teelöffel Muskatnusspulver
¼ Teelöffel Ingwerpulver
½ Teelöffel Zimtpulver

Anleitung:
Heize den Ofen auf 200 C vor.
Legen Sie quadratische Form auf dem Backpapier aus.
Mischen Sie in einer Küchenmaschine Eier, Honig, Kokosöl, Apfelmus und Vanille zusammen. Fügen Sie das Kokosmehl, Backpulver, Salz und Gewürze hinzu. Mixen Sie weiter, bis alles vermischt ist.
Mixen Sie die Äpfel und Feigen in einer Schüssel.
Heben Sie die Apfelmixtur unter den Teig.
Geben Sie den Teig in die vorbereitete Form.
30 Minuten backen.

Paleo Brot

Zutaten:
1 Teelöffel Kokosöl
½ Tasse gehacktes Blumenkohl
¼ Tassen gehackte Zwiebeln
1 Tasse frisches Spinat
2 Eier
1 Teelöffel zerbrochener Knoblauch
½ Teelöffel Pfeffer
Eine Prise Salz
Anleitung
Heizen Sie den Ofen auf 200C vor.
Schmelzen Sie das Kokosöl in einem Topf.
Fügen Sie den Blumenkohl, den Knoblauch und die
Zwiebeln hinzu und wärmen Sie es für ungefähr 10
Minuten, bis es leicht braun ist.
Schlagen Sie die Eier in eine Schüssel und fügen Sie
den Blumenkohl hinzu.
Mischen Sie die restlichen Zutaten ein.
Rühren Sie alles zusammen, bis alles gut verbunden ist.
Formen Sie die Mischung indem Sie ein runden
Kekseschneider benutzen, dann arrangieren Sie das auf
dem Backblech
Backen Sie es bei 200 C für ungefähr 15 Minuten, oder
bis es braun ist

Karotten Kekse mit Chia Samen

Zutaten:
1 Tasse Mandelbutter
1 Tasse zerhackte Karotten
4 Eier
1 Teelöffel Vanille
1 Teelöffel Backpulver
2 Teelöffel Chia Samen

Anleitung:
Heizen Sie den Ofen auf 200 C vor.
Platzieren Sie die Zutaten in einer großen Schüssel und rühren Sie alles gut um.
Tropfen Sie einen Löffel voll Teig auf das ausgelegte Backblech.
Backen Sie 15 Minuten lang bis die Kekse goldbraun sind.

Thunfisch-Eier

Zutaten:

- 200g Thunfisch aus der Dose

- 3 Eier

- ½ Zwiebel

- 1 EL Olivenöl

- eine handvoll Petersilie

- Salz und Pfeffer

Zubereitung:

- den Backofen auf 180° Umluft vorheizen

- Thunfisch abgießen und in eine Auflaufform verteilen

- Zwiebel würfeln und Petersilie grob hacken

- beides in einer Schüssel mit Olivenöl vermengen und würzen

- Zwiebel-Mischung mit dem Thunfisch vermischen

- Eier in Auflaufform schlagen und würzen

- Auflaufform für etwa 15 Minuten in den Ofen geben

- kühlen lassen und sofort servieren

Turbo Milchreis

für 2 Personen

hier eine alternative Zubereitungsart von Milchreis,-
nämlich mit Eiweißpulver...

Zutaten

100 gMilchreis

400-500 ml Milch (1,5% Fett)

30 g   gutes Eiweisspulver (hohe Wertigkeit)

20 g   Kokos-Chips

nach Belieben Zimt

Zubereitung

400 ml Milch in einen Topf geben und etwas Zimt
unterrühren. Vorsichtig zum Kochen bringen.
Immer etwa 4 mal soviel Milch wie Reis!
Den Milchreis hinzugeben und bei schwacher Hitze
quellen lassen. Gelegentlich umrühren, damit nichts
anbrennt.
Nach 25-30 Minuten ist der Reis gar. Das Eiweisspulver
und die Hälfte der Kokos-Chips können schon nach 20
Minuten dazugegeben werden. Bei Bedarf noch etwa
100 ml Milch auffüllen.

Den Milchreis mit den restlichen Kokos-Chips und etwas Zimt anrichten.

Tipp:

Natürlich kann man auch viele andere Milchsorten alternativ verwenden (wie z.b Soja oder Mandelmilch..)

Salat mit Spargel und Tomaten

für 2 Personen
Zutaten

1 Zitrone

1 rote Zwiebel

1 Bund Dill

200 g Kirschtomaten

150 g Tiefseegarnelen (küchenfertig)

2 EL Olivenöl

1 TL Honig

Salz

schwarzer Pfeffer

500 g weißer Spargel

Zubereitung

Die Zwiebeln und den Dill in kleine Stücke schneiden. Tomaten waschen und halbieren. Die Tomaten mit den Garnelen, den Zwiebeln und den Dill in eine Schüssel geben. Den Honig und die Zitrone dazu geben und alles gut vermischen. Salz und Pfeffer dazu.

Den Spargel wie üblich schälen und schräg anschneiden. Dann die Spargelstücke 5 Minuten in kochenden Wasser garen.

Jetzt den Spargel mit dem Tomaten-Garnelensalat gut vermischen. Abschmecken!

fertig!

Thunfisch Salat

Zutaten:
¼ Tassen Thunfischbrocken
¼ hausgemachte Mayonnaise
1 Teelöffel Zitronenzeste
2 Teelöffel Zitronensaft
1 Esslöffel zerkleinerter Rettich
2 Esslöffel zerkleinerte rote Paprika
1 Tasse zerkleinerte Dill Gurken
½ Teelöffel Knoblauchpulver
1 Tasse in Scheiben geschnittene Gurke
Eine Prise Salz
Eine Prise schwarzer Pfeffer
Getrocknete Petersilie als Garnitur

Anleitung:
Würzen Sie den Thunfisch mit schwarzem Pfeffer und Salz.
Marinieren Sie diesen für mindestens 2 Stunden.
Kochen Sie den Thunfisch in einem Kochtopf für 15 Minuten.
Vermischen Sie Thunfisch, Gurken und die übrigen Zutaten in einer Salatschüssel.
Besprenkeln Sie den Salat mit Petersilie.

Ananas Frühstückskuchen mit Knusperzimt

Zutaten:

4 Eier

¼ Tasse pürierte Ananas

1 Teelöffel Vanilleextrakt

½ Tasse Mandelmilch

½ Tasse Kokosmehl

¼ Teelöffel Meersalz

1 Esslöffel Zimtpulver

Anleitung:

Heizen Sie den Ofen auf 200 C vor.

Mischen Sie die Eier und das ÖL in einer großen Schüssel zusammen.

Geben Sie den Teig in die gefettete Form.

Bestäuben Sie es mit Zimt.

Backen Sie 45 Minuten lang.

Kokosnuss Kuchen

Zutaten:

1 Ei

½ Tasse gehackter Apfel

3 Esslöffel Kokosmehl

2 Esslöffel gehackte Walnuss

1 Esslöffel zerkleinerte Kokosnuss

2 Esslöffel Honig

¼ Teelöffel Zimtpulver

Eine Prise Salz

Anleitung:

Vermischen Sie alle Zutaten in einem mikrowellensicheren Becher mit einer Gabel. Backen Sie es in einer Mikrowelle für 2 Minuten.

Mandel Smoothie

Zutaten:

1 kleine Avocado

200 ml Mandelmilch

1 Tasse feine Bohnen

2 Tassen Brokkoli

20 g Kürbiskerne

Anleitung:

Bohnen und Brokkoli schneiden.

Kürbiskerne für 30 Sekunden mixen.

Restliche Zutaten hinzufügen und für weitere 20 Sekunden mixen.

Gleich servieren und genießen.

WÜRZIGE LACHSSUPPE

Zubereitungszeit 30 Minuten

Zutaten

- 500 g Lachsfilet

- 3 Kartoffeln

- 2 Karotten

- 1 Porree

- 5 weiße Pfefferkörner

- 1 Chilischote

- 1 l Fischbrühe

- etwas Dill

Zubereitung

Kartoffeln und Karotten schälen, in Würfeln schneiden. Porree in Streifen schneiden. Karotte und Porree kurz anbraten. Chilischote und Dill hacken. Brühe zum Kochen bringen, Karottenwürfel zufügen, 10 Minuten kochen. Danach Kartoffelwürfel und Porree hinzufügen, köcheln, bis das Gemüse gar ist. Vom Lachsfilet Haut entfernen, Fisch in Stücke schneiden, in den Topf fügen. Zum Kochen bringen, abdecken, vom Herd nehmen, 5 Minuten stehen lassen. In dieser Zeit werden die Fischstücke in der heißen Brühe gar, aber bleiben saftig. Mit gehacktem Dill servieren.

Frühstücks Muffin

Zutaten für 4 Portionen:
- ☐ 4 Eier
- ☐ 1 TL Tomatenmark
- ☐ 90 Gram Rinderhüfte
- ☐ ¼ Stück rote Paprika
- ☐ ½ Hand Spinat
- ☐ Salz & Pfeffer

Zubereitung:

1. Heizen Sie Ihren Ofen auf 170 Grad vor

2. Geben Sie die Eier und das Tomatenmark in einer Schüssel und geben Sie Salz und Pfeffer hinzu

3. Schneiden Sie nun die Paprika und den Spinat in kleine Stücke und das Fleisch in dünne Streifen und geben Sie es in der Schüssel unter die Eier

4. Fetten Sie die Muffinform mit Fett ein und geben Sie anschließend die Eiermasse in die Formen

5. Geben Sie die Muffinform in den Ofen und lassen Sie die Muffins für circa 15-20 Minuten backen

Nussmix-Bananen-Brei

Zutaten für 4 Personen:
60 g Cashewnüsse

60 g Mandeln

60 g Pekannüsse

2 Bananen

400 ml Kokosmilch

4 TL Zimt

Nährwertangaben gesamt:
Kalorien: 2279,6 kcal

Kohlenhydrate: 107,9 g

Eiweiß: 36,2 g

Fett: 181,6 g

Zubereitung:

Am Abend zuvor die drei Nusssorten in eine Schüssel geben und mit Wasser aufgießen. Das Wasser sollte alle Nüsse komplett bedecken. Nun die Schüssel mit einem Trockentuch abdecken und über Nacht einweichen lassen.

Am Morgen ein Sieb bereitstellen und darin die Nüsse abgießen und unter dem laufenden Wasserhahn

abspülen, bis alle Eintrübungen weggewaschen
wurden.

Die eingeweichten Nüsse nun in einem Mixer zu einer
gleichmäßigen Nussmasse verarbeiten. Nun die
Bananen in Scheiben schneiden und diese mit den
restlichen Zutaten in den Mixer geben. Nun einfach
weitermixen, bis die gewünschte Konsistenz erreicht
wurde. Der fertige Brei kann sofort serviert werden.

Jamaikanische Jerk Hähnchenspieß

Für 6-8 Personen

Zutaten:

1 kg Hühnerbrust

1/2 Tasse gehackte grüne Zwiebeln oder Schnittlauch

3 Teelöffel Knoblauch (gehackt)

1/4 Esslöffel Cayennepfeffer

2 Esslöffel Boden Zimt

2 Esslöffel Kokosöl

3/4 Esslöffel Meersalz

1/2 Esslöffel gemahlener Pfeffer

Hölzern oder Spieße

Zubereitung:

1 Holzspieße, wenn vorhanden, 20 Minuten in Wasser tauchen, damit sie nicht anbrennen.

2 Mische alle Zutaten in einer großen Schüssel oder einem Druckverschluss-

beutel.

3 Den Beutel/die Schüssel verschließen und für 6-12 Stunden im Kühlschrank ziehen lassen.

4 Hühnerbrüste aus dem Kühlschrank holen und für 30 Minuten auf Raumtemperatur kommen lassen.

5 Broiler/Grill vorbereiten.

6 Hähnchen für 8-10 Minuten auf den Grill legen oder bis es durch ist. Dabei einmal bitte wenden.

Muffins mit Ei und Paprika

Inhaltsstoffe

- Frühstückswurst (gemahlen) – 250 Gramm

- Eier - 9

- Rote, grüne oder gelbe Paprika (gehackt) - 1

- Gefrorener Grünkohl (gehackt) - ½ Becher

- Pfeffer (Pulver) - ¼ Teelöffel

Anweisungen

1. Zuerst den Ofen auf 180 Grad (Umluft) vorheizen. Als nächstes wird die Muffinform mit einem Kochspray oder mit Kokosöl eingefettet. Die Muffinform zur Seite legen.

2. Die gemahlene Wurst in einer mittelgrossen Pfanne bei mittlerer Hitze goldbraun braten.

3. Nimm eine grosse Rührschüssel und vermenge die gebräunte Wurst, Eier, Grünkohl, Paprika und Pfefferpulver.

4. Die Mixtur in die Muffinform geben und zwischen 20 und 25 Minuten backen.

5. Lasse die Muffins ca. 5 Minuten abkühlen, bevor du diese herausnimmst. Löse sie von den Seiten mit einem Messer.

Zur Information: Das Rezept ist für 12 Muffins. Du kannst sie sonntags zubereiten und die ganze Woche ein fertiges Frühstück geniessen.

Esse viel Obst und Gemüse

Iss 2 bis 3 Portionen Obst und 5 bis 7 Portionen Gemüse pro Tag. Denke bunt, frisch und lokal! Achte darauf, viel Grün zu essen (Grünkohl, Bok-Choi, Schweizer Mangold, Spinat), da dies die ernährungsphysiologisch stärksten Lebensmittel sind.

Frühstückssalat mit pochiertem Ei, Baby-Spinat und Schinken

Für eine Person

Zutaten:

1 Ei
1 ½ EL Olivenöl
2 Scheiben Schinken, halbiert
1 Handvoll Baby-Spinat
½ EL Apfelessig

Zubereitung:

Ei in einer Tasse aufschlagen. Platzieren Sie Frischhaltefolie über die Tasse und drehen Sie vorsichtig die Tasse um, so dass das Ei auf die Frischhaltefolie rutscht. Wickeln Sie nun das Ei in der Frischhaltefolie ein, bis es wie eine kleine Tasche aussieht. Dann das Ende der Frischhaltefolie gut zusammendrehen, damit das Ei nicht herausläuft. Das Ei dann 3-4 Minuten in kochendes Wasser geben.

Während das Ei kocht, den Herd auf mittlere Hitze schalten und 1 EL Öl und Speck in eine Pfanne geben. Wenn der Speck knusprig ist die Pfanne vom Herd nehmen.

Spinat, ½ EL Olivenöl, Essig und Speck in eine Schüssel geben und gut vermengen.

Spinat und Speck auf einem Teller anrichten, das Ei vorsichtig von der Frischhaltefolie befreien und auf dem Salat platzieren.

Guten Appetit!

Paleo-Brot:

Zutaten:

2 EL Leinsamenmehl

140 g Sonnenblumenkerne

60 g Kürbiskerne

60 g Sesamsamen

2 EL Ghee

1 EL Sesammus

4 Eier

2 TL Backpulver (Weinstein)

1 TL Vanille

1 TL Zimt

Etwas Salz

Zubereitung:

Den Ofen auf 180 Grad vorheizen. 100 g der Sonnenblumenkerne und 40 g der Kürbiskerne zu Mehl verarbeiten (das geht ganz gut mit der Küchenmaschine oder auch mit dem Stabmixer). Das Gehe schmelzen. Die restlichen Kerne dazugeben. Die Sesamsamen, das Leinsamenmehl, das Sesammus, die Eier, das Backpulver, die Vanille, den Zimt und das Salz zusammen mit dem geschmolzenen Ghee zu einem glatten Teig kneten. Eine Kastenform sehr gut einfetten oder mit Backpapier auskleiden. Den Teig in die Form geben und nach Wunsch mit Kernen bestreuen. 40 Minuten backen. Aus der Backform nehmen und auskühlen lassen.

Darauf schmecken wunderbare Gemüsepasten, oder auch ein Avocado/Bananenmus.

Für die Mittagsmahlzeit eignen sich wunderbar Salate und Gemüse. Diese sind die Hauptbestandteile der Paleo-Ernährung. Das hast du ja inzwischen gelernt. Hierfür habe ich dir nun drei weitere Möglichkeiten.

GARNELENSALAT MIT AVOCADO

Zubereitungszeit 15 Minuten

Zutaten

- 4 Avocados

- 200 g Garnelen

- 1 rote Zwiebel

- 1 kleine Mango

- eine große Handvoll Mangold oder Rucola

- etwas grüne Zwiebel

- 1 Limette

Zubereitung

Avocado und Zwiebelgrün in Stücke schneiden. Rote Zwiebel in Scheiben, Mango in Streifen schneiden. Limettensaft auf Avocadostücke pressen. In der

Schüssel Avocado, Mangold, Garnelen, Zwiebel und Mango miteinander vermengen. Zum Servieren Mangold oder Rucola und Zwiebelgrün zugeben. Bei Wunsch kann man auch etwas Nüsse zufügen.

Gebackene Brokkoli-Eier

Zutaten:
- ☐ 8 Eier
- ☐ ½ Zwiebel
- ☐ 2 Zucchini
- ☐ Röschen eines Stückes Brokkoli
- ☐ ½ Löffel Petersilie
- ☐ Salz & Pfeffer

Zubereitung:

1. Den Ofen auf 180 Grad vorheizen.
2. Die Zwieble schälen und in Würfel schneiden
3. Die Brokkoliröschen vom Strunk lösen und waschen
4. Die Zucchini in kleine Stücke schneiden
5. In einer Schüssel die Eier und das Gemüse vermischen
6. Eine Auflaufform mit Kokosöl einfetten und in diese die Eiermischung geben

Im Ofen circa 25-30 Minuten backen lassen und nach dem Herausnehmen aus

Sesam-Kohlrabi-Salat mit Karotten

Ein außergewöhnlicher und schmackhafter Salat für 2 Personen, der sich schnell und einfach zubereiten lässt. Die Kombination aus Sesam, Kohlrabi und Karotten ist sehr gesund und daher gut geeignet als Zwischen- oder Hauptmahlzeit oder Beilage.

Zutaten:

½ Stück Kopfsalat

2 Karotten

1 Kohlrabi

1 Apfel

2 TL Tahini

2 TL Honig

3 EL Sonnenblumenöl

2 EL Sesamsamen

1 EL Sesamöl

2 EL Apfelessig

2 EL Zitronensaft

2 Prisen Salz und Pfeffer

Nährwertangaben gesamt:

Kalorien: 865,8 kcal

Kohlenhydrate: 53,3 g

Eiweiß: 11,0 g

Fett: 64,8 g

Zubereitung:

Waschen Sie das Obst und Gemüse gut ab. Den Kopfsalat können Sie danach in mundgerechte Blätter zupfen. Apfel, Karotten und Kohlrabi können Sie am besten mit einer Mandoline (Gemüsehobel) in dünne Streifen schneiden. Alternativ nutzen Sie dafür einfach ein scharfes Messer. Mischen Sie das geschnittene Obst und Gemüse gut durch.

Nun setzen Sie die Mischung für das Dressing auf, die aus Sonnenblumenöl, Tahini, Zitronensaft, Apfelessig und Honig besteht. Das Dressing wird dann mit Salz und Pfeffer abschließend abgeschmeckt. Verteilen Sie das Dressing auf dem Salat und bestreuen ihn mit dem Sesam.

Süßkartoffel Steak Mit Ziegenkäse

Für 2 Personen

Zutaten:

1 große Süßkartoffel

2-3 Esslöffel Ziegenkäse

1-2 Esslöffel Rotweinessig

1 Esslöffel Kokosöl

1/4 Teelöffel Senf

Meersalz und Pfeffer nach ihrer Wahl

Zubereitung:

1 Backofen auf 230 Grad vorheizen.

2 Kartoffel in 1cm dicke „Steaks" schneiden. Mit Kokosöl, Salz und Pfeffer würzen .

3 Für 12-15 Minuten von jeder Seite Backen.

4 Ziegenkäse und Senf hinzugeben und mischen .

Japanisches Hühner-Curry

Inhaltsstoffe

- Hühnerschenkel – 600 Gramm

- Weisse Kartoffeln (geschält, in Würfel geschnitten) - 2

- Karotten (in Scheiben geschnitten) - 2

- Zwiebel (gewürfelt) - 1

- Knoblauch (gewürfelt) - 2 Zehen

- Frischer Ingwer (gerieben) - 1 Esslöffel

- Kokosöl oder Ghee - 2 Teelöffel

- Currypulver - 2 ½ Teelöffel

- Balsamico-Essig - 1 Esslöffel

- Tomatenmark - ¼ Tasse

- Kokosnuss-Aminos - 2 Esslöffel

- Fischsauce - 1 Teelöffel

- Salz - ¼ Teelöffel und ½ Teelöffel (separat)

- Hühnerbrühe - 2 Tassen

- Pfeilwurzelpulver - 2 Teelöffel

Anweisungen

1. Das Hühnerfleisch in kleine Stücke schneiden und beiseite stellen. Du kannst die Haut behalten oder nach Belieben entfernen.

2. Das Kokosöl (oder Ghee) in einer mittelgrossen Pfanne oder einem Auflauftopf bei mittlerer Hitze erhitzen.

3. Die Zwiebel und das Salz dazugeben (¼ Teelöffel). Die Zwiebel solange garen lassen, bis sie durchsichtig sind.

4. Füge dann die Hühnerstücke und den Ingwer hinzu und erhöhe die Temperatur auf mittlere Hitze. Die Zutaten umrühren und 1 bis 2 Minuten kochen lassen.

5. Die Kartoffeln, Karotten, Knoblauch, Currypulver, Tomatenmark, Kokosnuss-Aminos, Balsamico-Essig, Fischsauce und Salz hinzufügen (½ Teelöffel). Die Zutaten 1 Minute lang rühren, bis sie eine schöne bräunliche Farbe annehmen.

6. Die Hühnerbrühe hinzufügen, gründlich umrühren, bis es anfängt zu sieden. Die Zutaten werden nun mit einem Deckel abgedeckt, die Hitze auf ein Minimum reduziert und alles zusammen ca. 15 Minuten weitergekocht.

7. Jetzt ist es an der Zeit, die Mischung etwas zu verdicken. Nimm dafür 4 bis 5 Esslöffel der Mischung aus dem Topf und mische diese mit dem Pfeilwurzelpulver in einem kleinen Gefäss. Verrühre alles bis eine klumpenfreie Mischung entsteht.

8. Vermenge dann alles im Topf.

9. Nun ist Zeit gekommen, das köstliche Curry mit Reis zu servieren!

Würzig mariniertes Schweinefleisch mit Pfirsich Salsa

Für 4 Personen

Zutaten:

4 EL Limettensaft
2 EL Olivenöl
2 Knoblauchzehen, fein gehackt
3 TL gemahlener Kreuzkümmel
1 EL Oregano, fein gehackt
2 Schweinefilets (400 g pro Stück), in 1 cm-dicke Scheiben geschnitten

2   EL   Olivenöl,   zum   Braten

Zutaten für die Salsa:

4 Pfirsiche, geschält und gewürfelt
1 Tasse Kirschtomaten, halbiert
1 kleine Chilischote, entkernt, fein gehackt
Kleine Handvoll Minze, fein geschreddert
Saft einer halben Limette

Zubereitung:

Limettensaft, Olivenöl, Knoblauch, Kreuzkümmel und Oregano in einer Schüssel gut vermengen. Schweinefilets hinzugeben und diese mit der Marinade bedecken.

Schüssel mit Klarsichtfolie abdecken und für 1-2 Stunden kalt stellen, gelegentlich das Schweinefleisch in der Marinade wenden.

Bei mittlerer Hitze eine Pfanne mit 2 EL Olivenöl erhitzen. Schweinefleisch aus der Marinade nehmen und für jeweils 3-4 Minuten auf jeder Seite anbraten, bis das Schweinefleisch eine goldfarbene Färbung angenommen hat.

Für die Salsa Pfirsiche, Tomaten, Chili, Minze und Limettensaft in eine Schüssel geben.

Salsa auf einen Teller geben, Schweinefilet darauf platzieren und servieren.

Guten Appetit!

MIT AVOCADOCREME GEFÜLLTE EIER

Zubereitungszeit 20 Minuten

Zutaten

- 12 Eier

- 1 Avocado

- 1 Tl Kokossahne

- 1 Knoblauchzehe

- Salz, Pfeffer

- 1 Tl Schnittlauchröllchen

- 1 Tl Paprikapulver

Zubereitung
Eier 10 Minuten kochen, abschrecken, pellen. Längs
halbieren, Eigelbe rausnehmen.

Eigelbe, Kokossahne, Knoblauchzehe und Avocado im Mixer pürieren. Mit Pfeffer und Salz abschmecken. Die Mischung in eine Plastiktüte füllen, von der Tüte eine Ecke abschneiden. Eierhälften mit der Mischung füllen. Mit Paprikapulver und Schnittlauch garnieren.

Rührei mit Pfirsich und Beeren

Zutaten für 2 Personen:
- ☐ 7 Eier
- ☐ 1 EL Honig
- ☐ 2 TL Zitronensaft
- ☐ 1 EL Öl
- ☐ 5-6 Stück Pfirsich
- ☐ 4 EL Mandesplitter
- ☐ 4 EL Zimtpulver
- ☐ 150 Beeren nach Wahl
- ☐ 4 EL Kokosraspel

Zubereitung:
1. Obst schälen und in Stücke schneiden
2. Die Eier in einer Schüssel geben und mit Honig und Zitronensaft verquirlen
3. In eine eingefettete Pfanne die Eiermasse hinzugeben
4. Wenn das Ei zu stocken beginnt, die anderen Zutaten hinzugeben und gut vermischen und immer weiter rühren damit nichts anhaftet

Kürbissuppe

Zutaten für 4 Personen:

1 Hokkaido Kürbis

1 Liter Gemüsebrühe

100 ml Kokosmilch

250 g gewürfelter Speck

200 g Maronen

200 g Mango

2 Zwiebeln

1 Süßkartoffel

3 EL Zitronensaft

1 EL Muskat

Salz und Pfeffer nach Belieben

Nährwertangaben gesamt:
Kalorien: 1455,6 kcal

Kohlenhydrate: 200,6 g

Eiweiß: 79,6 g

Fett: 33,0 g

Zubereitung:

Die Zwiebeln schälen und fein würfeln. Danach den Kürbis halbieren und die Kerne mit einem Löffel entfernen. Dieser kann danach mit der Haut ebenfalls in grobe Stücke geschnitten werden. Nach dem gleichen Prinzip auch bei den Süßkartoffeln und der Mango verfahren.

Einen Topf auf dem Herd erhitzen und Ghee darin schmelzen lassen. Anschließend die Zwiebeln anbraten und Kürbis, Süßkartoffeln und Mango hinzufügen und kurz mitanbraten. Diese Gemüse-Frucht-Mischung mit der Brühe ablöschen und alles für 30 Minuten kochen lassen, bis alle Zutaten weich und verzehrfertig sind.

Ein Backblech vorbereiten und die Maronen erst kurz einritzen und dann darauf verteilen. In dem auf 180° C vorgeheizten Backofen für 15 Minuten backen, bis die Schale aufplatzt. Die Maronen danach etwas abkühlen lassen, aus der Schale lösen und ebenfalls in grobe Stücke schneiden.

Alle, im Topf befindlichen Zutaten mit einem Stabmixer pürieren und als letzten Schritt mit Zitronensaft und Kokosmilch und den Gewürzen nach Belieben würzen bis der persönliche Geschmack getroffen wurde.

In einer Pfanne zuerst die Speckwürfel knusprig anbraten und kurz auf Haushaltsrolle abtropfen lassen. In der Zwischenzeit die Maronenstücke im Speckfett anbraten und beides auf jedem Teller oder der Suppenschüssel streuen.

Hummus Und Süßkartoffel Vorspeise

Für 6-8 Personen

Zutaten:

2 Süßkartoffeln

Zimt
Kumin/Kümmel oder Muskatnuss

Kokosöl zum Bestreichen

Meersalz und Pfeffer

Zubereitung:

1   Ofen auf 190 Grad vorheizen. Backblech mit Backpapier vorbereiten.

2   Kartoffeln waschen, schälen und in 0,6cm dicke Scheiben schneiden.

3 Scheiben auf Backpapier legen. Mit geschmolzenem Kokosöl bedecken und Gewürze drüberstreuen. Mischen, bis alles bedeckt ist.

4 15-20 Minuten backen und darauf achten, dass der Boden nicht anbrennt .

5 Mit Hummus überdecken .

Paleo Mandel Freude Eisbecher

Inhaltsstoffe

- Kokosmilch - 2 Dosen

- Vanilleextrakt - 1 ½ Esslöffel

- Zartbitterschokolade - 1

- Honig - ½ Tasse

- Mandeln (geschnitten) - ¼ Tasse

- Kokosraspeln (ungesüsst) - ½ c Tasse

Anweisungen

1. Kokosmilch, Honig und Vanille-Extrakt vermischen.

2. Nimm eine Plastikfolie und beschichte damit eine Plastikschüssel (Tupperware).

3. Die Mischung in die Schüssel geben und über Nacht einfrieren.

4. Nimm die Hälfte der gefrorenen Mischung und werfe sie in einen Mixer.

Mixe die Zutaten, bis diese die Konsistenz einer Glace haben.

Giesse dann die Mischung in einen Behälter.

Den gleichen Vorgang mit der anderen Hälfte der gefrorenen Mischung wiederholen.

Bewahre das Eis im Gefrierschrank für 30 Minuten auf, bevor dieses serviert wird.

Zartbitterschokolade hacken und bei schwacher Hitze in einer Pfanne schmelzen.

5. Zum Servieren etwas Eis aus dem Behälter nehmen, geschmolzene Schokolade darüber giessen und mit Mandelscheiben und Kokosraspeln bestreuen. Du kannst auch Beeren oder Erdbeeren dazu servieren.

Süßkartoffel Gnocchi

Zutaten 4 Portionen:
- ☐ 2 große Süßkartoffeln
- ☐ 2 Tassen Mandelmehl
- ☐ 1 Tasse Pfeilwurzpulver
- ☐ 1 TL Salz
- ☐ 1 TL Backpulver
- ☐ 1 Prise Knoblauchpulver
- ☐ 1 Eiweiß

Zubereitung:

1. Heizen Sie den Backofen auf 195 Grad vor.
2. Legen Sie die Kartoffeln auf ein Backblech und geben Sie diese für 50 Minuten in den Backofen.
3. Anschließend aus dem Ofen nehmen und abkühlen lassen und danach schälen und ein eine Schüssel geben, und zerdrücken und mit Salz, Pfeilwurzpulver, Backpulver und Knoblauchpulver. Verrühren Sie alle Zutaten zu einer gleichmäßigen Masse.
4. Schlagen Sie das Eiweiß zu Schaum und rühren Sie dieses unter die Kartoffelmasse.
5. Stauben Sie die Arbeitsfläche mit Pfeilwurz und rollen Sie die Kartoffelmasse in einen langen,

dünnen Schlauch. Schneiden Sie den Schlauch in ca. 25 mm lange Stücke.

6. Erhitzen Sie Wasser in einem Topf in dem alle Gnocchi Platz finden. Wenn das Wasser kocht, geben Sie jedes Gnocchi in das Wasser. Lassen Sie diese für circa 1 Minute im Wasser. Wenn die Gnocchi an die Wasseroberfläche treiben, nehmen Sie diese aus dem Topf und legen Sie diese beiseite zum Trocknen.

7. Erhitzen Sie etwas Butterfett in einer Pfanne und gießen Sie es vorsichtig über die Gnocchi.

Kohlrabi-Grünkohl-Pfanne

Zutaten für 4 Personen:
500 g Grünkohl

400 g Rinderhack

50 g Ghee

2 Kohlrabis

1 Zwiebel

2 EL gehackte Petersilie

1 EL mittelscharfer Senf

1 EL Paprikapulver

Salz und Pfeffer nach Belieben

Nährwertangaben gesamt:
Kalorien: 1332,8 kcal

Kohlenhydrate: 36,0 g

Eiweiß: 114,7 g

Fett: 76,9 g

Zubereitung:

Einen Topf mit Wasser auf dem Herd erhitzen. In der Zwischenzeit die Kohlrabis in kleine Würfel schneiden und in dem heißen Wasser für 8 Minuten weichkochen.

Danach die Kohlrabiwürfel in einem Sieb abtropfen lassen und kurz beiseitestellen.

Die Zwiebeln ebenfalls in Würfel schneiden und in einer Pfanne mit Olivenöl anbraten. Das Rinderhack hinzufügen und durchbraten lassen.

Zum angebratenen Fleisch den Grünkohl und die vorgekochten Kohlrabis hinzufügen. Alle Zutaten miteinander vermengen und nach Belieben würzen.

Die Mischung für 10 Minuten auf kleiner Hitzestufe durchziehen lassen und nach Geschmack kurz vor dem Servieren mit dem mittelscharfen Senf im Geschmack veredeln.

Blumenkohlpizza Stücke

24 Pizza Stücke

Zutaten:

2 Tassen oder 1 Blumenkohlkopf (gewaschen, getrocknet und gerieben)

1/4 Tasse Eiweiß

1 Tasse griechischer Yogurt

1 Teelöffel Oregano

2 Teelöffel Petersilie

1/4 Teelöffel Knoblauchpulver

1 Esslöffel Kokosöl

1 Tasse Paleo Marinara Sauce zum Dippen

(Optional) 1-2 Esslöffel scharfe Sauce

Zubereitung:

1 Backofen auf 190 Grad vorheizen.

2 Mini Muffin Form mit Kokosöl einfetten.

3 Den Blumenkohl "Reis" in einer Pfanne erhitzen, bis er leicht durchsichtig ist, etwa 10 Minuten. Und dann in einer Schüssel abkühlen lassen.

4 Alle anderen Zutaten in einen Mixer geben und gut durchmixen .

5 Alle anderen Zutaten in einen Mixer geben und gut durchmixen .

6 Mischung in die Muffin Formen geben und fest andrücken, damit sie zusammenhalten sehr wichtig.

7 Für 25-30 Minuten backen lassen .

8 Aus dem Backofen nehmen und für 5-10 Minuten abkühlen lassen. Sonst sind sie zu heiß und fallen auseinander.

9 Wenn die Muffins abgekühlt sind, aus den Formen nehmen.

10 Nudelsauce als Dip benutzen.

SAURE SAHNE AUS KOKOSMILCH

Zubereitungszeit 5 Minuten, abkühlen 2 Stunden

Zutaten

- 1 Glas (400 Ml) Kokosmilch
- 2 El Weißweinessig

Zubereitung
Die Dose darf man nicht schütteln! Kokosmilch für 2 Stunden in den Kühlschrank stellen. Dose öffnen, vorsichtig die dicke Creme von obendrauf ablöffeln. Die Flüssigkeit austrinken oder in Smoothies benutzen. Essig in die Kokoscreme rühren, 1 Stunde im Kühlschrank stehen lassen. Vor dem Servieren noch mal durchrühren.

Gebackene Kartoffelchips

Zutaten:

- ☐ 2 große Süßkartoffeln
- ☐ 2 EL Kokosöl
- ☐ 2 EL getrockneten Rosmarin
- ☐ 1 EL Salz

Zubereitung:

1. Heizen Sie den Ofen auf 190 Grad vor.

2. Schälen Sie die Kartoffeln und schneiden Sie diese in sehr dünne Scheiben.

3. Geben Sie die Kartoffelscheiben in eine große Schüssel und vermischen Sie diese mit dem Öl, dem Rosmarin und dem Salz.

4. Geben Sie Backpapier auf ein Backblech und legen Sie darauf die Kartoffelscheiben

5. Geben Sie das Blech in den Ofen und lassen Sie die Kartoffelscheiben für ca. 10 Minuten backen.

6. Nun wenden Sie die Scheiben und lassen diese wieder für 10 weitere Minuten backen.

7. Lassen Sie die Chips nun für weitere 10 Minuten im Ofen. Sollten einige Chips schon braun werden, nehmen Sie diese auf dem Ofen.

Gefüllte Zwiebeln mit Hackfleisch

Ein ganz besonderer kulinarischer Genuss sind die gefüllten Zwiebeln. Ein Gericht, das Sie so garantiert noch nicht gegessen haben.

Zutaten für 4 Personen:
350 g gemischtes Hackfleisch

2 Frühlingszwiebeln

2 TL Sesam

1 EL frischer Koriander, grob gehackt

1 TL frischer Ingwer

1 Prise Meersalz

1 Prise Limettenschale

2 EL Kokosöl

Nährwertangaben gesamt:
Kalorien: 1041,0 kcal

Kohlenhydrate: 8,2 g

Eiweiß: 57,9 g

Fett: 82,8 g

Zubereitung:

Entfernen Sie die Schalen der Zwiebeln und lassen Sie sie 15 Minuten im kochenden Wasser garen. Danach lassen sich die Zwiebeln wunderbar mit einem Messer und einem kleinen Löffel aushöhlen. Dazu schneiden Sie den Boden der Zwiebel einfach kurz ab.

Entfernen Sie die Schale vom Knoblauch und hacken ihn zusammen mit einer Chili schön klein. Würzen Sie das Hackfleisch mit Salz, Pfeffer, Chili, Knoblauch und geben Sie ein Ei dazu. Nachdem Sie alles nochmal gründlich durchgeknetet haben, können Sie das Hackfleisch vorsichtig in die Zwiebel füllen.

Jetzt erhitzen Sie das Kokosöl im Topf und braten die gefüllten Zwiebeln von allen Seiten an. Nach Geschmack können Sie auch die ausgehöhlten Reste der Zwiebeln aus dem ersten Arbeitsschritt in den Topf geben und mit anbraten. Nun können Sie die Gemüsebrühe in den Topf schütten, ihn mit einem Deckel verschließen und alles 25 Minuten lang kochen lassen.

Entnehmen Sie die gefüllten Zwiebeln, belassen die Reste mit der Brühe aber im Topf, um Sie zu pürieren und geben Sie je nach Bedarf noch ½ Chilischote hinzu. Kochen Sie das Ganze nochmal kurz auf und schmecken die Sauce mit Salz und Pfeffer ab.

Mangold Und Speck Spieße

8-10 Wraps

Zutaten:

12-15 Speckstreifen ohne Nitrate

1/3 Tasse Rübstiel – ohne Stiel, in 2,5cm große Stücke geschnitten

8-10 Mangoldblätter, ohne Stiel

1/3 Tasse rote Zwiebel, gewürfelt

1 Teelöffel Knoblauch, zerhackt

1/4 Tasse orangene Paprika, klein gewürfelt

1/4 Tasse gelbe Paprika, klein gewürfelt

1/2 Teelöffel gewürfelte Tomaten

2 Teelöffel Tomatenmark

1/2 Teelöffel Naturhonig

1/2 Teelöffel Schnittlauch, zerhackt

1/4 Teelöffel Thymian

1/4 Teelöffel Oregano

1/4 Teelöffel frischer Dill, 1 Teelöffel Pfefferkörner,Teelöffel Knoblauch,1 Messerspitze getrocknete Petersilie,1 Kopf Blumenkohl,zu „Reis" gerieben

Zubereitung:

1 5 Speckstreifen braten, bis sie knusprig sind. Dann in kleine Teile reißen .

2 Kokosöl in Bratpfanne gießen und auf mittlerer Stufe erhitzen. Dann rote Zwiebel und Honig hinzugeben und braten, bis sie weich sind .

3 Knoblauch, Paprika, Rübstiel und Schnittlauch hinzugeben und kochen, bis alles weich ist.

4 Thymian, Oregano, Dill, Pfeffer, Salz, Petersilie, Tomaten und Tomatenmark hinzufügen.

5 3-5 Minuten braten und den knusprigen Speck beifügen. Weitere 3 Minuten umrühren und dann vom Herd entfernen.

6 Gesalzenes Wasser aufwärmen (nicht kochend). Mangoldblätter darin 5 Minuten kochen und abgießen.

7 Nachdem die Blätter abgekühlt sind, flach auf einen Teller legen und 2 Teelöffel Blumenkohl in die Mitte jedes Blattes geben.

8 Spitze des Blattes und die Stammseite nehmen und vorsichtig zusammenführen. Dann wie einen kleinen Burrito zusammenrollen.

Auf der Nächsten Seite geht es weiter…

Rezept der vorherigen Seite…

9 Die Füllung sollte komplett im Blatt bleiben. Schritte wiederholen, bis nichts mehr vom Blumenkohl übrig ist.

10 Ungebratenen Speck um je ein Mangoldblatt wickeln, diagonal, damit das ganze Blatt bedeckt ist.

11 Wenn fertig, Blätter auf Spieße stecken, maximal 2 auf einen Spieß mit einem Abstand von 2 cm.

12 Spieße auf einen mittelheißen Grill legen und 15-20 Minuten grillen, bis der Speck leicht knusprig ist.

LEBERBÄLLCHEN

Zubereitungszeit 40 Minuten

Zutaten

- 500 g Rinderleber

- eine halbe Kohlrübe

- 1 Karotte

- eine faustgroße Knollensellerie

- 1 Zwiebel

- 1 EL frischen oder 1 TL getrockneten Majoran

- ein bisschen Salz und Pfeffer

- etwas Butter

- 1 - 2 EL Olivenöl

Zubereitung

Kartoffel, Karotte und Knollensellerie schälen. Leber fein hacken. Gemüse reiben, Zwiebel hacken. Mit gehackter Leber mischen, Gewürze und zerlassene Butter zufügen. Öl auf der Pfanne erhitzen und Hackbällchen von beiden Seiten braun braten.

Mediterraner Hühnersalat

Zutaten:

- ☐ 1 gegrilltes Huhn

- ☐ 5-6 EL Oliven ohne Kern| 1 kleiner Bunde gehackter Koriander

- ☐ 1 Kopf Römersalat

- ☐ 1 rote Zwiebel

- ☐ Saft von 1 Zitrone

- ☐ Salz & Pfeffer

Zubereitung:

1. Lösen Sie das Fleisch des Huhnes von den Knochen und schneiden Sie es in 2-3cm kleine Stücke

2. Fügen Sie 3 EL Paleo Majo, die roten Zwiebeln, den Koriander, den Zitronensaft, Salz & Pfeffer hinzu.

3. Mischen Sie alle Zutaten und legen Sie diese in die verschiedenen Salatboote des Römersalates

Lachs-Zucchini Röllchen

Für 3-4 Personen

Zutaten:

0,25kg Lachs, dünn geschnitten

1 Zucchini, längs geschnitten

1 Esslöffel frischer Zitronensaft

1 Esslöffel Olivenöl

½ Esslöffel getrockneter Dill

Meersalz und Pfeffer

Zubereitung:

1   In einer kleinen Schüssel Lachs, Zitrone, Olivenöl, Salz und Pfeffer   zusammenmischen.

2 Jeweils kleine Mengen zusammenrollen wie Sushi .

3 Mit Zitronenscheiben servieren.

GEFÜLLTE PAPRIKA

Zubereitungszeit 45 Minuten

Zutaten

- 4 Paprikaschoten

- 400 g Hackfleisch

- 200 g gesalzene Pilze

- 1 Karotte

- 1 Zwiebel

- Salz, Pfeffer

- getrocknete Kräuter (z. B. Basilikum, Majoran, Petersilie, Thymian)

Zubereitung

Hackfleisch und gehackte Pilze, Karotte und Zwiebel auf der Pfanne braten. Mit Kräutern, Salz und Pfeffer nach Belieben würzen. Von den Paprikaschoten den "Deckel" abschneiden, die Schoten von innen sauber machen. Die Schoten mit der Hackfleischmischung füllen, wieder "Deckel" draufsetzen. Bei 200 Grad 30 Minuten backen.

SCHASCHLIK IN ROTE-JOHANNISBEEREN-MARINADE

Zubereitungszeit 45 Minuten plus 12 Stunden zum Ziehen

Zutaten

- 1 Kg Schweinefleisch, in Würfel geschnitten
- 250 g Rote Johannisbeeren
- 50 g scharfen Senf
- 1 große Zwiebel
- 50 g Öl (z. B. Kokosöl)
- Pfeffer

Zubereitung

Zwiebel in Scheiben schneiden, Rote Johannisbeeren mit der Gabel zerdrücken. Alle Zutaten miteinander vermischen. Marinade mit den Händen etwas mehr in die Fleischwürfel kneten. Mit einer Teller abdecken, Gewicht draufsetzen. 12 Stunden ziehen lassen, dann goldbraun grillen.

Fischrezepte

Fisch und andere Meerestiere und –Früchte nehmen bei der Paleo Ernährung einen sehr hohen Stellenwert ein. Fisch dient als zuverlässiger Lieferant für Vitamin A, D sowie B-Vitamine, und enthält für uns Menschen wichtige Mineralstoffe und Spurenelemente wie Magnesium, Kalium, Selen und Eisen. Es ist also sehr gesund, wenn Sie mehrmals pro Woche Fisch essen.

Lachsfilet mit buntem Gemüsetopping

Zutaten für 4 Personen:
4 Stücke Lachsfilet mit je 250 g

1 grüne Paprika

1 rote Paprika

1 Zwiebel

1 Stange Porree

4 EL Sonnenblumenöl

Frisch gepresster Zitronensaft

Salz und Pfeffer zum Würzen

Petersilie und Zitronenmelisse zum garnieren

Nährwertangaben gesamt:
Kalorien: 2898,1 kcal

Kohlenhydrate: 40,5 g

Eiweiß: 241,4 g

Fett: 187,4 g

Zubereitung:

Zuerst das Gemüse vorbereiten und dafür Zwiebeln, Lauch und Paprikas in etwa gleich große Streifen schneiden.

Salzwasser auf dem Herd zum Kochen bringen und darin die Gemüsestreifen kurz blanchieren, und anschließend in Eiswasser abschrecken, um die Farben zu erhalten.

Nun den Lachs nach Belieben würzen und auf der Hautseite, sowie kurz auf der Fleischseite, anzubraten.

Ein Backblech bereitlegen und den Backofen auf 180° C vorheizen. Die Lachsstücke mit der Fleischseite nach oben auf dem Blech platzieren und das blanchierte Gemüse mit Öl, Gewürzen und Zitronensaft aromatisieren.

Als letzten Schritt das Gemüse auf dem Lachs verteilen und für weitere 15 Minuten im Backofen fertiggaren. Im Anschluss auf vier Tellern anrichten und mit den frischen Kräutern garnieren.

CPSIA information can be obtained
at www.ICGtesting.com
Printed in the USA
BVHW042337040621
608823BV00012B/3024